Milena

MAL DI

"Se io non ti incontrerò mai,
fa' che senta almeno la tua mancanza."

A cura di: Lisbeth Thybo
Illustrazioni: Karen Borch

EDIZIONE SEMPLIFICATA AD USO
SCOLASTICO E AUTODIDATTICO

Le strutture ed i vocaboli usati in questa edizione sono tra i più comuni della lingua italiana e sono stati scelti in base ad una comparazione tra le seguenti opere: Bartolini, Tagliavini, Zampolli – Lessico di frequenza della lingua italiana comtemporanea. Consiglio D'Europa – Livello soglia, Brambilla e Crotti – Buongiorno! (Klett), Das VHS Zertifikat, Cremona e altri – Buongiorno Italia! (BBC), Katerinov e Boriosi Katerinov – Lingua e vita d'Italia (Ed. Scol. Bruno Mondadori).

Redatore: Ulla Malmmose

Design della copertina: Mette Plesner

ISBN Danimarca 978-87-23-90712-7
www.easyreaders.eu
The CEFR levels stated on the back of the book
are approximate levels.

Stampato in Danimarca da
Sangill Grafisk, Holme Olstrup

Milena Agus : biografia

Milena Agus è nata a Genova, ma è di origine sarda. Insegna italiano e storia in un istituto tecnico a Cagliari, in Sardegna, dove vive.
Il suo primo romanzo *Mentre dorme il pescecane* è del 2005.
Mal di Pietre è del 2006 ed è già stato tradotto in cinque lingue e ha avuto molto successo anche in Francia dove ha vinto il Premio Relay e il Premio Forte Village 2007. In Italia il romanzo ha vinto i seguenti premi letterari: Premio Campiello, selezione dei giurati 2007; Premio Santa Marinella 2007 e Premio Elsa Morante 2007.
Nel 2008 Milena Agus ha pubblicato il romanzo *Ali di babbo* e nel 2009 *La contessa di ricotta*.

1.

Nonna conobbe il *Reduce* nell'autunno del 1950. Arrivava da Cagliari per la prima volta in *Continente*. Doveva compiere quarant'anni, senza bambini perché il *mal di pietre* glieli faceva sempre *abortire* nei primi mesi. Allora fu mandata alle *Terme* per curarsi. 5

2.

Si era sposata tardi, nel giugno del 1943 e a quei tempi avere trent'anni senza ancora sistemazione era come essere già un po' *zitella*. Non che fosse brutta, o che le mancassero i *corteggiatori*, anzi. Solo che a un certo punto non si facevano più vedere. 10

Il mio *bisnonno* e le sue sorelle le volevano bene anche così, un po' zitella, ma la mia bisnonna no, la trattava sempre come se non fosse sangue del suo sangue e diceva che sapeva lei perché.

La domenica, quando le ragazze andavano a 15

Reduce, chi torna da una guerra
Continente, qui: Italia
mal di pietre, malattia di calcoli renali, piccole formazioni granulari all'interno del rene.
abortire, non portare a termine il tempo per far nascere un bambino; qui: perdere
Terme, luogo dove si curano malattie con acqua sorgiva dotata di particolari proprietà curative
zitella, donna non sposata
corteggiatore, chi si innamora di una ragazza e le sta intorno (fare la corte)
bisnonno, Il nonno è il padre del padre o della madre; il bisnonno è il padre del nonno o della nonna

messa o a *passeggiare* nello stradone *a braccetto* con i fidanzati, nonna andava in chiesa a chiedere a Dio perché, perché era così *ingiusto* da negarle la conoscenza dell'amore, che è la cosa più bella. Allora, se Dio non voleva farle conoscere l'amore, che la ammazzasse, in un modo qualunque. In confessione il prete le diceva che questi pensieri erano un peccato gravissimo e che al mondo ci sono tante altre cose, ma a nonna delle altre cose non gliene importava niente.

Un giorno la mia bisnonna la aspettò nel cortile, e iniziò a colpirla sino a farle venire la febbre alta. Aveva scoperto da voci che correvano in paese che i *pretendenti* andavano via perché nonna gli scriveva poesie d'amore e che sua figlia stava *infangando* non solo se stessa, ma tutta la sua famiglia. E continuava a colpirla e a maledire il giorno in cui l'avevano mandata in *prima elementare* e aveva imparato a scrivere.

3.

Nel maggio del 1943 arrivò in paese mio nonno, che aveva più di quarant'anni e faceva l'*impiegato* alle *Sa-*

passeggiare a braccetto, passeggiare tenendosi sotto braccio
ingiusto, non giusto
pretendente, corteggiatore, colui che chiede (=pretende) la ragazza in sposa
infangare, coprire di fango, cioè di disonore
prima elementare, la prima classe della scuola elementare che è suddivisa in cinque anni
impiegato, chi lavora in ufficio

line di Cagliari. Aveva posseduto una bella casa nella via Giuseppe Manno. Di questa casa e di tante altre cose, dopo i bombardamenti del 13 maggio, non rimaneva niente. La famiglia di nonna accolse questo signore per bene, *vedovo* da pochissimo, *sfollato* con *appresso* solo una valigia. Arrivò, a mangiare e a dormire gratis. Entro giugno *chiese la mano di* nonna e la sposò. Lei pianse quasi tutti i giorni quel mese prima del matrimonio. Si *inginocchiava* ai piedi del mio bisnonno e lo pregava di dire no. Altrimenti, se proprio in casa non la volevano più, sarebbe andata a Cagliari, avrebbe cercato un lavoro. Ma i miei bisnonni non ne vollero sapere. Allora fu lei a dirglielo, che non lo amava e non avrebbe mai potuto essere una vera moglie. Nonno le rispose di non preoccuparsi. Neppure lui la amava. In quanto a fare la vera moglie, capiva benissimo. Avrebbe continuato ad andare alla *Casa Chiusa*.

Ma fino al 1945 a Cagliari non tornarono. Così i nonni dormirono come fratello e sorella nella stanza degli ospiti.

Durante quel suo primo anno di matrimonio nonna ebbe la *malaria*. La febbre saliva anche a quarantuno ed era nonno ad assisterla.

salina, luogo dove si produce il sale
vedovo, chi ha perso la moglie
sfollato, chi ha dovuto lasciare il suo paese a causa della guerra
appresso, dietro, con sé
chiedere la mano di, chiedere di sposare una donna
inginocchiarsi, mettersi in ginocchio
Casa Chiusa, bordello, casa di prostitute, cioè donne che fanno l'amore dietro pagamento
malaria, malattia trasmessa da un tipo di zanzara, caratterizzata da febbre alta,

Uno di quei giorni, l'8 settembre, corsero a dirgli quello che avevano sentito alla radio, l'Italia aveva chiesto l'*armistizio* e la guerra era finita. Invece secondo nonno non era finita per niente. E nonno aveva ragione perché bastò sentire Radio Londra. Quando nonna guarì le dissero che, se non fosse stato per il marito, la febbre la avrebbe *divorata* e che c'era stato l'armistizio e il cambio delle *alleanze* e lei, con una *cattiveria* che non si perdonò mai, alzò le spalle come per dire: "Che mi importa".

Nel letto alto la notte nonna si *rannicchiava* il più lontano possibile da lui tanto che cadeva spesso per terra e lei ne aveva quasi spavento di questo estraneo che non sapeva fosse bello o no, tanto non lo guardava e tanto lui non la guardava. Del resto nonno non tentò mai di avvicinarla. Da soli, cioè in camera da letto e basta, non parlavano mai. Nonna faceva le *preghiere* della notte, nonno no, perché era *ateo* e comunista. E poi uno dei due diceva: "Fate una buona notte," e l'altro: "Una buona notte anche a voi."

armistizio, accordo fra due o più parti avversarie per fermare la guerra
divorare, mangiare molto e velocemente; qui: distruggere
alleanza, insieme di parti (=alleati) che combattono per uno stesso scopo
cattiveria, l'essere cattivi; qui: frase cattiva
rannicchiarsi, piegarsi, accucciarsi come dentro ad una nicchia (piccolo luogo protetto)
preghiera, il pregare, cioè orazioni personali rivolte a Dio o a Gesù o alla Madonna
ateo, chi non crede in Dio

La mattina mia bisnonna voleva che la figlia preparasse il caffè per nonno. "Portate il caffè a vostro marito," e allora nonna andava con la *tazzina* sul *vassoio* di vetro, glielo posava lì ai piedi del letto e scappava subito e neppure questo si perdonò mai in 5
tutta la vita.

Nonno aiutava nel lavoro dei campi e resisteva bene anche se era cittadino e aveva passato il suo tempo a studiare e nel lavoro d'ufficio. Faceva spesso an-

che la parte della moglie, che ormai aveva *coliche renali* sempre più *frequenti* e lui trovava una cosa *tremenda* che una donna dovesse fare lavori così pesanti in campagna o tornare dalla *fontana* con la
5 *brocca* piena d'acqua sulla testa e però queste cose, per rispetto alla famiglia che lo ospitava, le diceva in generale a proposito della società sarda dell'interno, perché Cagliari era diversa.

colica renale, forte dolore ai reni dovuto al mal di pietre, cioè ai calcoli (vedi glossario al cap.1)
frequente, spesso
tremendo, terribile

Per il resto, a parte nonna che del mondo se ne fregava, ascoltavano Radio Londra. Nel 1944 seppero che alle prime ore del mattino del 6 giugno gli Alleati erano *sbarcati* in Normandia.

4.

Nonno disse che la guerra sarebbe continuata e non poteva fare l'ospite all'infinito e così vennero a Cagliari. 5

Andarono ad abitare in via Sulis, in una camera che aveva il bagno e la cucina in comune con altre famiglie. Pur non avendo mai chiesto niente, fu dalle *vicine* che nonna seppe della famiglia di nonno, distrutta quel 13 maggio 1943. 10

Tranne lui erano tutti già a casa, quel maledetto pomeriggio, per il suo *compleanno*. La moglie, una donna freddina, proprio quel giorno, in piena guerra, aveva fatto la *torta* e li aveva riuniti. Non si sapeva come fosse successo, ma loro non uscirono da casa al suono dell'*allarme* per correre al *rifugio*. Meno 15 20

torta

sbarcare, scendere a terra da una nave
vicino, qui: chi vive accanto
compleanno, giorno in cui si compiono gli anni
allarme, sirena che segnala l'avvicinarsi di un pericolo
rifugio, qui: luogo dove proteggersi dalle bombe

male che non avevano avuto figli, dicevano le vicine, una moglie, una madre, sorelle, *cognati* e *nipoti* si dimenticano e nonno aveva dimenticato in fretta e si capiva perché, bastava guardare com'era bella la seconda moglie. Era sempre stato un uomo allegro, uno a cui da ragazzo, nel 1924, i fascisti avevano fatto bere l'olio per metterlo a posto e lui poi ci aveva riso su e sembrava che sopravvivesse a tutto. Buon cliente delle Case Chiuse e lo sapeva anche la moglie, poverina, e chissà come ne aveva sofferto, lei che si *scandalizzava* per tutto e dal marito non doveva mai essersi fatta vedere nuda, che poi non ci doveva essere stato granché da vedere e c'era da chiedersi cosa ci facevano insieme quei due.

Invece nonna era una *femmina* femmina, sicuramente come lui aveva sempre desiderato e poi era affettuosa e chissà che passione fra marito e moglie se c'era stato un *colpo di fulmine* tale da sposarsi in un mese. Peccato per quelle brutte coliche, poveretta, loro le volevano un gran bene.

Nonna era stata amica delle vicine della via Sulis per tutta la sua e la loro vita. E fu con le vicine e i mariti che nonna seguì le ultime *fasi* della guerra. Nel *gelo* della cucina di via Sulis sentivano Radio Londra.

cognato, fratello della moglie o del marito
nipote, figlio del figlio o della figlia, o figlio del fratello o della sorella
scandalizzare, provare meraviglia, vergogna
femmina, vera donna, dotata di grandi doti di femminilità
colpo di fulmine, amore a prima vista
fase, periodo di tempo
gelo, freddo, ghiaccio

Il giorno del compleanno di nonno, il 13 maggio, la guerra era finita e tutti erano felici, ma a nonna quelle vittorie e *disfatte* non rappresentavano niente. In città non c'erano acqua, luce elettrica e non c'era neppure da mangiare se non le zuppe americane e quello che si trovava costava anche il trecento per cento in più, ma le vicine quando si trovavano per lavare i piatti ridevano per qualunque *stupidaggine*, e anche quando andavano a messa, ridevano sempre, in strada, tre davanti e tre dietro. E nonna parlava poco, ma c'era sempre anche lei e le giornate scorrevano e le piaceva come a Cagliari le vicine non erano come in paese e se qualcosa non andava dicevano: "Ma va!" e se per esempio cadeva un piatto per terra e si rompeva, nonostante fossero povere, alzavano le spalle. In fondo erano contente di essere povere, meglio che avere i soldi come tanti che a Cagliari avevano fatto delle fortune sulle disgrazie degli altri. E poi erano vive! Nonna pensava che dipendesse dal mare e dal cielo blu.

Ma non espresse mai queste idee, perché aveva *terrore* che scoprissero anche loro che era matta. Scriveva tutto sul suo *quadernetto* nero e poi lo nascondeva nel *cassetto* delle cose segrete.

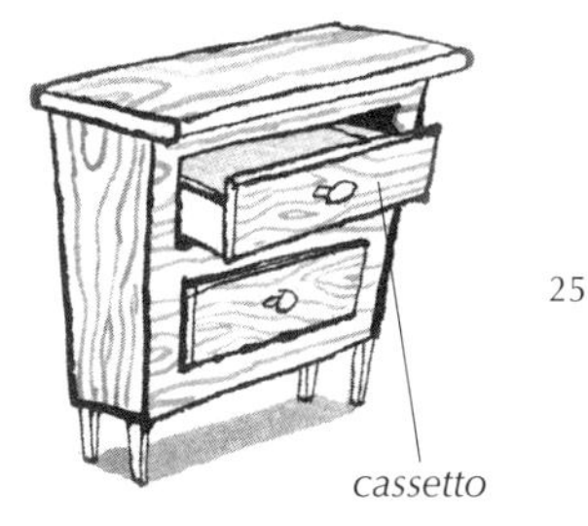
cassetto

disfatta, sconfitta
stupidaggine, cosa stupida, da nulla, sciocchezza
terrore, grande paura
quadernetto, piccolo quaderno, piccolo libro dove scrivere

5.

Una sera nonno, prima di sedersi nella poltrona vicino alla finestra, andò a prendere dalla valigia di sfollato la sua *pipa*, tirò fuori dalla tasca un sacchetto di tabacco appena comprato e si mise a fumare, per la prima volta dopo quel maggio 1943. Nonna avvicinò lo *scanno* e rimase seduta a guardarlo.

pipa

"Così voi fumate la pipa. Nessuno mai ho visto fumare la pipa."

E rimasero in silenzio. Quando nonno ebbe finito lei gli disse: "Non dovete più spendere i soldi per le donne della Casa Chiusa. Quei soldi dovete spenderli per comprarvi il tabacco e *rilassarvi* e fare la vostra fumata. Spiegatemi cosa fate con quelle donne e io farò tutto uguale".

6.

Ai tempi della via Sulis le sue coliche renali erano spaventose e sembrava sempre che dovesse morire. Sicuramente per questo non riusciva ad avere figli neppure quando ormai avevano qualche soldo in più e facevano una piccola passeggiata in via Manno per vedere dove speravano avrebbero ricostruito la loro casa e risparmiavano tantissimo per questo.

scanno, piccola sedia senza spalliera
rilassarsi, riposarsi

Sino al 1947 ci fu la fame e nonna ricordava come era felice quando andava in paese e tornava *carica* e faceva le scale di corsa e poi entrava in cucina e posava sul tavolo anche due pani e la pasta fresca e il *formaggio* e le uova e la *gallina* per il brodo e le vicine la festeggiavano e le dicevano che lei era così bella perché era buona.

Quei giorni era felice anche se non aveva l'amore, felice delle cose del mondo, anche se nonno non la toccava mai se non quando faceva le *prestazioni* della Casa Chiusa. E nonna sempre si chiedeva come è strano l'amore, che se non vuole arrivare non arriva ed era strano che proprio quella, che era la cosa più importante, non ci fosse verso di farla venire in nessun modo.

7.

Nel 1950 i medici le ordinarono le cure termali. Le dissero di andare in Continente, a quelle più famose

carico, pieno di qualcosa
prestazione, attività

dove tanta gente era guarita. Così nonna era partita con la nave per Civitavecchia.

Le terme erano in un posto per niente bello, senza sole, e dall'autobus che la portava dalla stazione all'albergo non si vedevano che colline color terra e anche dentro l'autobus tutta la gente le sembrò malata e senza colore. Quando iniziarono a *comparire* gli alberghi, chiese all'*autista* di indicarle la *fermata* del suo e se ne stette un bel po' davanti all'ingresso *indecisa* se scappare o no. L'albergo era molto elegante. Nella sua stanza notò subito uno *scrittoio* sotto la finestra e forse fu soltanto per quello che non scappò di nuovo alla stazione. Lei non aveva mai avuto uno scrittoio, né aveva mai potuto sedersi a un tavolo, perché scriveva sempre di nascosto, con il quaderno che nascondeva appena sentiva arrivare qualcuno. Allora nonna, la prima cosa che fece, fu di tirare fuori dalla valigia il suo quaderno e di metterlo sullo scrittoio, poi chiuse la porta bene a chiave per la paura che qualcuno entrasse all'improvviso e vedesse cosa c'era scritto nel quaderno e infine si sedette sul grande letto ad aspettare l'ora di cena. Il salone aveva tanti tavoli con la tovaglia bianca e in mezzo un *mazzo di fiori* e sopra ciascuno pendeva un bel *lampadario* con tutte le luci accese. Alcuni

comparire, apparire
autista, chi guida un'automobile o un bus
fermata, luogo dove si ferma un bus per fare scendere e salire la gente
indeciso, incerto, chi non sa cosa fare
scrittoio, scrivania, tavolo per scrivere
mazzo di fiori, gruppo di fiori
lampadario, grande lampada sospesa al soffitto

tavoli erano già occupati, ma molti posti erano ancora liberi. Nonna scelse un tavolo vuoto e quando passava qualcuno teneva la testa bassa sperando che non si sedesse vicino a Lei. Non aveva voglia di mangiare, né di curarsi, perché se lo sentiva che tanto lei non sarebbe guarita e bambini non ne avrebbe avuti mai. I figli li avevano le donne normali, come le vicine di via Sulis. I bambini, appena *si rendevano conto* di essere nella pancia di una matta, scappavano via, come avevano fatto tutti quei fidanzati. 10

Nella sala entrò un uomo con la valigia. Portava una *stampella,* ma camminava veloce. A nonna quell'uomo piacque come nessuno mai.

Il Reduce aveva una valigia povera, ma era vestito in modo molto *distinto* e nonostante avesse una gamba di legno e la stampella era un uomo bellissimo. Nonna dopo cena, appena arrivata in camera, subito si mise allo scrittoio a descriverlo nei particolari, così, se non lo avesse visto più nell'albergo, non c'era pericolo di dimenticarlo. Era alto e profondo di occhi, le braccia forti e lunghe e le mani grandi, la bocca *carnosa*.

Le giornate seguenti lo guardava dal suo tavolo o nella *veranda* dove lui andava a fumare le sigarette o a leggere e lei a fare i *ricami*. Sistemava sempre la sedia un po' dietro di lui, per non essere vista.

rendersi conto di, capire
stampella, vedi illustrazione, pag. 18
distinto, elegante
carnoso, fatta di molta carne
veranda, terrazza coperta, di vetro
ricamo, disegno che si cuce sulla stoffa con un ago

stampella

Poi anche lì ci furono giorni di sole e tutto sembrava diverso, e nella veranda, dove il Reduce andava a fumare o a leggere e nonna a *fingere* di *ricamare*, c'era tanta luce.

Lui si alzava e andava a guardare le colline dietro i vetri e se ne stava in pensiero e ogni volta in cui poi si girava per andare di nuovo a sedersi la guardava e le sorrideva di un sorriso che a mia nonna faceva quasi male per quanto le piaceva e l'*emozione* le riempiva la giornata.

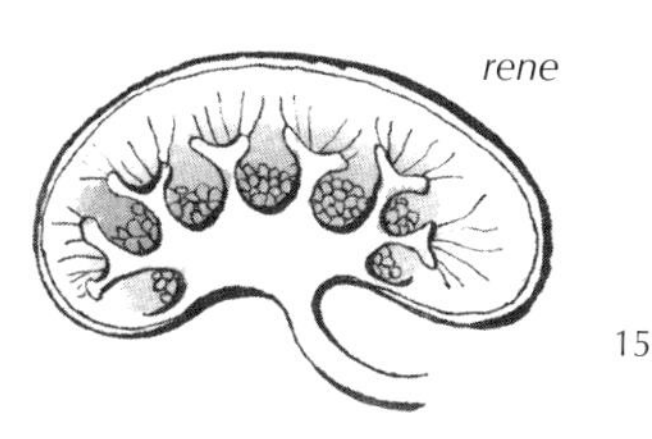
rene

Una sera il Reduce passò davanti al tavolo di nonna e sembrò indeciso su dove sedersi e allora lei tolse la borsa per fargli spazio a fianco e lui si sedette e si sorrisero guardandosi negli occhi e quella sera non mangiarono né bevettero niente. Il Reduce soffriva del suo stesso male e anche i suoi *reni* erano pieni di pietre. Aveva fatto la guerra, tutta. Da ragazzo leggeva sempre, gli piacevano il mare e la *letteratura*, le poesie soprattutto, che lo avevano sostenuto nei momenti più difficili. Finita la guerra si era *laureato* e da poco si era *trasferito* da

fingere, fare finta di, fare credere qualcosa che in realtà non è
ricamare, cucire su stoffa facendo un disegno
emozione, sentimento forte
letteratura, forma d'arte che si esprime scrivendo romanzi, racconti o poesie
laurearsi, prendere una laurea, un titolo universitario
trasferirsi, andare a stare in un altro luogo

Genova a Milano, dove insegnava Italiano. Era sposato dal 1939 e aveva una bambina in prima elementare. La sua bambina amava molto la scuola. La bambina lo aspettava con qualunque tempo seduta sui gradini di casa e poi a Milano c'era la nebbia che nonna non aveva idea di cosa fosse. Invece nonna bambini niente. Sicuramente per colpa di quelle pietre nei reni. Anche a lei era piaciuta tantissimo la scuola, ma in quarta elementare l'avevano ritirata. Il maestro era andato a casa loro per chiedere di mandare la bambina al *ginnasio* perché scriveva bene, e i genitori avevano avuto una grande paura di essere in qualche modo obbligati a farle continuare gli studi e l'avevano tenuta a casa e avevano detto al maestro che lui i loro problemi non li sapeva e di non tornare più. Però ormai lei aveva imparato a leggere e scrivere ed era tutta una vita che scriveva di nascosto. Poesie. Forse pensieri. Cose che le succedevano, ma un po' inventate. Non lo doveva sapere nessuno perché magari la prendevano per matta. Lei glielo stava *confidando* perché di lui si fidava anche se lo conosceva da neanche un'ora. Il Reduce era *entusiasta* e le fece promettere di non vergognarsi e di fargliele leggere, se ne aveva con sé, che gli sembravano matti gli altri e non lei. Anche lui aveva una passione: suonare il *piano*. L'aveva avuto sin da bambino, era di sua madre, e tutte le volte in cui tornava a casa suonava ore e ore. Il suo massimo erano stati i "Notturni" di Cho-

ginnasio, scuola media superiore
confidarsi, raccontare le proprie cose a qualcuno
entusiasta, molto felice, chi ha molto entusiasmo
piano, pianoforte, vedi illustrazione, pag. 21

piano

pin, poi, però, al ritorno dalla guerra, non l'aveva trovato più e non aveva avuto il cuore di chiedere a sua moglie che fine avesse fatto. Adesso ne aveva ricomprato uno e le sue mani avevano cominciato a ricordare. 5

Lì alle Terme il pianoforte gli era mancato molto, però prima di parlare con nonna, perché parlare con lei e guardarla ridere era come suonare il piano.

Da quel giorno nonna e il Reduce non si separarono mai, se non per andare a fare pipì e non gliene importava niente dei *pettegolezzi*, a lui perché era del Nord, a nonna, anche se era Sarda, figuriamoci. 10

La mattina si incontravano nella sala della colazione, perché quello che arrivava prima mangiava

pettegolezzo, il parlare degli altri, spesso male

lentamente per dare all'altro il tempo di arrivare e nonna tutti i giorni aveva paura che il Reduce si fosse *stancato* della sua compagnia e magari cambiasse tavolo. Invece lui sceglieva sempre il suo stesso tavolo e se era lei ad arrivare dopo si capiva proprio che la stava aspettando. Il Reduce prendeva la stampella e si alzava come per un saluto al suo Capitano e diceva: "Buongiorno principessa," e mia nonna rideva, emozionata e felice.

"Principessa di cosa?"

Poi la invitava ad accompagnarlo a comprare il giornale, si sedeva su una *panchina* con lei a fianco e le leggeva ad alta voce degli articoli e chiedeva il suo parere e non importava che lui fosse laureato e nonna avesse solo la quarta elementare, si capiva che alle sue idee lui dava molta importanza. Nonna si faceva spiegare bene la questione e poi esprimeva il suo parere e guai rinunciare alle notizie quotidiane, alla sua testa che toccava durante la lettura quella del Reduce, tanto che ci sarebbe voluto un attimo, da quanto erano vicini, per darsi un bacio.

Poi lui diceva: "E oggi dove passiamo per tornare all'albergo? Proponga lei un *tragitto* che le piace".

Allora facevano sempre una strada diversa.

stancarsi, annoiarsi
tragitto, qui: strada, percorso

Un giorno il Reduce chiese di poter guardare le braccia di nonna tutte intere.

"Bellezza", disse passando dal lei al tu, "sei una vera bellezza. Ma perché tutti questi tagli?"

Nonna rispose che era stato lavorando nei campi. 5

"Ma sembrano fatti con un coltello".

"Tagliamo tante cose".

"Ma perché nelle braccia e non nelle mani?"

Lei non rispose e lui le prese la mano e gliela baciò e baciò tutti i tagli delle braccia, "bellezza," ripeté, "bellezza". 10

Allora anche lei lo toccò, quell'uomo che aveva osservato per giorni dalla sua sedia nella veranda, i capelli, le braccia forti e le mani buone da bambino.

La bambina del Reduce non era sua figlia. Lui nel 1944 era *prigioniero* dei *Tedeschi*. Sua figlia era in realtà figlia di un *partigiano*, con cui sua moglie aveva fatto la lotta e che era stato ammazzato durante un'azione. Il Reduce amava la sua bambina e non aveva voluto sapere di più. 15 20

Era partito nel 1940, era stato fatto prigioniero nel 1943, la gamba l'aveva persa fra il '44 e il '45.

Erano seduti su una panchina e nonna gli prese la testa fra le mani e se la mise sul cuore. Lui la *acca-*

prigioniero, chi sta in prigione, chi è stato preso in guerra
tedesco, abitante della Germania
partigiano, qui: chi lottava contro i fascisti e i tedeschi durante la Seconda Guerra Mondiale
accarezzare, passare la mano p. es. sui capelli di qualcuno in segno di affetto

rezzò con le *labbra* che sorrideva-
no. "Baciamo i nostri sorrisi?" gli
chiese nonna e allora si diedero un
bacio infinito, e il Reduce le disse
5 poi che questa stessa idea dei sorrisi che si baciano l'aveva avuta Dan-
te nel V canto dell'Inferno, per Paolo e Francesca,
che erano due che si amavano e non potevano.

Forse la bambina del Reduce non era figlia di un
10 partigiano. Forse era figlia di un Tedesco e sua moglie non aveva voluto dirglielo perché lui non odiasse la figlia di un nazista. Forse lei aveva dovuto di-
fendersi. Forse un soldato tedesco l'aveva aiutata.
Di certo c'era che sua moglie, che lavorava in un'in-
15 dustria, non gli aveva mai perdonato la divisa di militare anche se tutti sapevano che la *Regia Marina*
era fedele al Re e in fondo il Fascismo lo *tollerava*
appena e i Tedeschi poi non ne parliamo.

Se era figlia di un Tedesco era di un buon Tedesco.

20 Anche l'idea di nonna, pur non intendendosi di
politica, era che non è possibile che tutti i Tedeschi
fossero cattive persone. E allora gli Americani che
avevano distrutto Cagliari? Suo marito, che invece
di politica se ne intendeva e leggeva il giornale tutti
25 i giorni ed era un comunista intelligentissimo, diceva sempre che non c'era ragione per aver *mutilato* la
città in quel modo. Ci saranno state anche fra loro
delle brave persone.

Regia Marina, Marina militare fedele al Re
tollerare, sopportare
mutilare, qui: distruggere

Il Reduce abbracciò nonna. Le disse anche, all'orecchio, che alcuni studiosi sostengono che Paolo e Francesca siano morti ammazzati appena scoperti, mentre altri pensano che abbiano preso piacere l'uno dell'altro per un po' di tempo, prima di morire. Disse anche che se nonna non aveva tanta paura dell'Inferno anche loro due avrebbero potuto amarsi in quello stesso modo. E nonna dell'Inferno non aveva nessuna paura, figuriamoci. Se Dio era davvero Dio, sapendo quanto aveva desiderato l'amore, quanto aveva pregato di sapere almeno cos'era, come poteva adesso spedirla all'Inferno.

E poi quale Inferno, se anche da vecchia, quando ci ripensava, sorrideva a quell'immagine di lei e del Reduce e di quel bacio.

8.

Io sono nata che mia nonna aveva più di sessant'anni. Mi ricordo che da piccola la trovavo bellissima. Ero *orgogliosa* quando veniva a prendermi a scuola con quel suo sorriso giovane fra le mamme e i padri degli altri, perché i miei, essendo *musicisti*, erano sempre in giro per il mondo. Mia nonna è stata tutta per me, almeno quanto mio padre tutto per la musica e mia madre tutta per mio padre.

A papà nessuna ragazza lo voleva e nonna soffriva e si sentiva in colpa perché forse aveva trasmesso a

orgoglioso, molto soddisfatto
musicista, chi lavora suonando uno strumento musicale

suo figlio il male misterioso che faceva fuggire l'amore. A quei tempi c'erano i club e i ragazzi andavano a ballare e *intrecciavano* amori con le canzoni dei Beatles e invece mio padre niente. Qualche volta provava dei pezzi per il *Conservatorio* con delle ragazze, e tutte lo volevano per accompagnarle al piano agli esami, visto che era il più bravo, ma finito l'esame finito tutto.

flauto

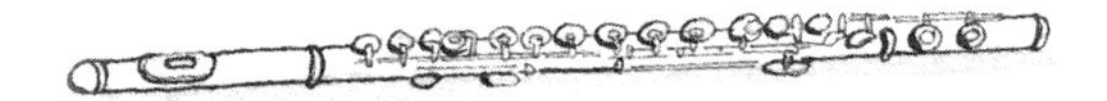

Poi, un giorno, nonna andò ad aprire la porta e vide arrivare mamma, con il suo *flauto*. Aveva un'aria timida, ma sicura, proprio la stessa aria che mia madre ha ancora, ed era bella, semplice, fresca, rideva di niente, gioiosa, come ridono le ragazzine, e nonna chiamò papà, che era chiuso a suonare, e gli gridò: "È arrivata. La persona che aspettavi è arrivata!"

Neppure mamma lo può dimenticare il giorno in cui dovevano provare un pezzo per pianoforte e flauto e mio padre le aveva detto di venire in via Manno. Come le era sembrato tutto perfetto, nonna, nonno, la casa. Perché lei abitava in un brutto posto in *periferia*, con la madre vedova, la mia nonna Lia, *severa*, sempre vestita di nero, alla quale mamma doveva telefonare continuamente per dire dove si

intrecciare, qui: iniziare
Conservatorio, scuola dove si impara a suonare uno strumento musicale
periferia, parte esterna di una città

trovava. E l'unica cosa allegra della sua vita era la musica, che la signora Lia invece non poteva sopportare e chiudeva tutte le porte per non sentire la figlia quando si esercitava.

Mamma amava mio padre in silenzio da *un sacco* di tempo e di lui le piaceva tutto, perfino che era *suonato come una campana* e compariva sempre con davanti il dietro dei *maglioni* e non si ricordava mai che stagione era e dicevano che era matto e le ragazze, nonostante fosse bellissimo, non volevano starci per tutte queste cose e soprattutto perché quella pazzia non era alla moda di allora e neppure la musica classica in cui era un *genio*.

I primi tempi si teneva libera apposta e il lavoro neppure lo cercava perché quello era l'unico modo per stare con papà: in giro per il mondo. Allora, appena sono cresciuta almeno un minimo, mamma ha comprato doppio di tutto e ha portato tutto qui in via Manno in modo da poter fare in fretta la borsa, affidarmi a nonna e andare subito a prendere l'aereo per raggiungere papà.

Invece dalla mia *nonna materna*, la signora Lia, non mi lasciavano mai, altrimenti piangevo disperatamente, perché quell'altra mia nonna qualunque cosa facessi, un disegno, per esempio o magari le

severo, molto serio
un sacco, molto
essere suonato come una campana, distratto, che pensa ad altre cose
maglione, vedi illustrazione, pag. 47
pazzia, l'essere pazzi
genio, persona molto intelligente
nonna materna, madre della madre

cantavo una canzoncina con le parole inventate da me, diceva che ci sono cose più importanti, che bisogna pensare alle cose importanti, e io mi ero fatta l'idea che odiasse la musica dei miei *genitori*, che odiasse i libri di storie che mi portavo sempre appresso e per accontentarla cercavo di capire cosa le facesse piacere, ma non sembrava amare niente. Mamma mi diceva che la signora Lia era diventata così perché il marito era morto.

Mio nonno non me lo ricordo, è morto che io ero troppo piccola, il 10 maggio 1978, giorno in cui venne approvata la Legge 180, che chiudeva i manicomi. Mio padre mi ha sempre detto che era un uomo eccezionale e i parenti gli volevano *un bene dell'anima* perché aveva salvato nonna da tante cose, soltanto che io con nonna dovevo stare attenta, non le dovevo dare dispiaceri, né agitarla troppo. C'è sempre stato un velo di mistero su di lei.

Solo da grande ho saputo che prima di incontrare nonno, si era buttata nel *pozzo* e le sorelle si erano precipitate in cortile e avevano chiamato i vicini ed erano miracolosamente riusciti a tirarla fuori tenendo tutti insieme la corda. Io ho conosciuto una nonna diversa, che rideva e anche mio padre dice lo stesso. Del resto nonna diceva sempre che la sua vita si divideva in due parti: prima e dopo le cure termali.

genitore, madre o padre
un bene dell'anima, volere molto bene a qualcuno

pozzo

9.

Nove mesi dopo le terme nacque mio padre, nel 1951, e quando il bambino aveva soltanto sette anni lei *andò a servizio* nella casa di due signorine, *donna* Doloretta e donna Fannì, di nascosto a nonno e 5 a tutti, perché aveva in mente di mandare suo figlio a lezione di piano. Le era venuta questa *mania* della musica, Chopin, Debussy, Beethoven, ascoltava le opere e piangeva. Visto che il pianoforte le signorine ce l'avevano, un giorno le fecero una proposta: loro 10 soldi non ne avevano, era possibile invece fissare un prezzo per il pianoforte e nonna l'avrebbe pagato giorno per giorno, facendo i mestieri di casa, al marito avrebbe detto che era un loro regalo, delle sue amiche. Il pianoforte lo misero nella stanza grande 15 piena di luce sul porto. E papà era bravissimo.

Eccome se lo è. A volte ne parlano anche i giornali e dicono che è l'unico Sardo che ce l'ha davvero fatta con la musica nelle sale da *concerto* a Parigi, Londra e New York. Nonno aveva un *album* per le fotografie 20 e i *ritagli* di giornale dei concerti di suo figlio.

Mio padre mi ha sempre raccontato soprattutto di nonno.

andare a servizio, andare a lavorare in casa di altri
donna, titolo che in forma di rispetto si mette davanti al nome di una donna, specialmente se nobile
mania, passione
concerto, l'eseguire musica in presenza del pubblico
album, libro dove si conservano le fotografie
ritaglio, pezzo di carta stampata tagliato

Alla madre voleva bene, ma gli era estranea e quando gli faceva delle domande su come erano andate le cose lui rispondeva: "Normale, ma'. Tutto normale". Allora nonna gli diceva che le cose non potevano essere normali, che dovevano essere per 5 forza in un modo piuttosto che in un altro e si vedeva che era gelosa quando poi, riuniti tutti e tre a tavola, alla presenza di nonno, le cose del mondo acquistavano quel modo che nonna aveva detto. Adesso che sua madre è morta papà non se lo perdona, ma non 10 gli veniva mai in mente niente. Ai suoi concerti era andata soltanto una volta, lui era un ragazzo, ma era scappata via perché *stravolta* dall'emozione. Però nonno, che la proteggeva sempre anche se non sapeva mai neppure lui cosa dirle e non era certo affet- 15 tuoso, non l'aveva seguita ed era rimasto a godersi il concerto di suo figlio. Era stato molto felice e non finiva mai di fargli i complimenti.

Papà è contento che invece per me sia stato facile. Meglio. Meglio così. Del resto nonna mi ha allevato 20 lei. Del resto io sono stata sempre più in via Manno che a casa mia e quando lui e mamma tornavano non volevo mai andarmene. Mi rifiutavo di riportare a casa i giochi. Poi, da grande, i libri. Dicevo che dovevo per forza stare da nonna per studiare perché 25 era *scomodo* soprattutto il *trasporto* dei *vocabolari*. Oppure se invitavo gli amici preferivo da nonna per-

stravolgere, agitare
scomodo, non comodo, difficile
trasporto, il portare una cosa da un luogo all'altro
vocabolario, libro che spiega le parole

ché c'era il terrazzo. E insomma. Forse io le avevo voluto bene nel modo giusto. Quando tornavo dai viaggi lei era giù in strada ad aspettare e io le correvo incontro e ci abbracciavamo e piangevamo come se fossi stata in guerra e non a divertirmi.

Dopo i concerti di papà, siccome nonna non veniva, mi attaccavo al telefono delle varie città del mondo e le descrivevo tutto nei particolari e le facevo perfino un po' di musica e le dicevo com'erano stati gli *applausi*. Oppure, se il concerto era qui vicino, venivo subito in via Manno e nonna si sedeva e mi ascoltava con gli occhi chiusi e sorrideva e batteva il tempo con i piedi.

Invece alla signora Lia i concerti di papà *stavano sullo stomaco* e diceva che suo *genero* non aveva un vero lavoro, che il successo poteva finire da un momento all'altro e si sarebbe trovato con mamma e me a chiedere l'*elemosina*, se non fosse stato per i genitori, naturalmente, finché erano vivi, però. Lei sapeva cosa voleva dire farsi da sola e non chiedere l'aiuto di nessuno. Lei la vita vera purtroppo l'aveva conosciuta.

applauso, quando il pubblico batte le mani per entusiasmo
stare sullo stomaco, non piacere
genero, marito della figlia
elemosina, il chiedere soldi ad altri

10.

Dei fidanzati che fuggivano, del pozzo, delle *cicatrici* sulle braccia nonna raccontò al Reduce la prima notte che stettero insieme, rischiando di finire all'Inferno. E nonna diceva di aver parlato davvero con qualcuno soltanto due volte nella vita: con lui e con me. Era l'uomo più magro e più bello che avesse mai visto e l'amore il più intenso e il più lungo. E in cuor suo per la prima volta aveva ringraziato Dio, di averla fatta nascere, di averla tirata fuori dal pozzo, di averle dato un bel *seno* e dei bei capelli, perfino, anzi soprattutto, i *calcoli renali*. Dopo lui le aveva detto che era molto brava e che una così mai l'aveva incontrata in nessuna Casa Chiusa per nessuna cifra. Allora nonna gli aveva fatto orgogliosa l'*elenco* delle sue prestazioni. Nonna se l'era sempre cavata molto bene e dopo ogni prestazione il marito le diceva quanto sarebbe costata alla Casa Chiusa e quella cifra la mettevano via per quando avrebbero ricostruito la casa della via Manno e nonna voleva che una piccola parte fosse sempre destinata al tabacco per la pipa. Ma avevano continuato a dormire sulle *sponde opposte* del letto e a

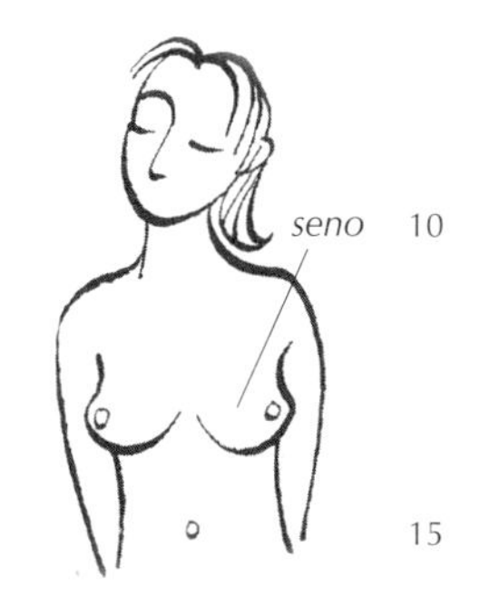

cicatrice, segno che rimane sulla pelle, p. es. dopo un taglio
calcolo renale, piccola pietra che si forma nel rene
elenco, lista
sponda, vedi illustrazione, pag. 9
opposto, contrario, qui: lontane, da una parte e dall'altra

non parlare mai di loro e forse per questo nonna non avrebbe più dimenticato l'emozione che provò in quelle notti, con il braccio del Reduce sopra la testa. Il Reduce disse che secondo lui suo marito era un uomo fortunato, davvero, e non un *disgraziato*, come lei diceva, che aveva in sorte una povera matta, lei non era matta, era una creatura fatta in un momento in cui Dio semplicemente non aveva voglia delle solite donne in serie e gli era venuta la *vena* poetica e l'aveva creata; e nonna rideva troppo di gusto e diceva che era matto anche lui.

Una delle notti seguenti il Reduce disse a nonna che lui se lo sentiva che la sua bambina era figlia di un Tedesco. Non riusciva neppure a immaginarsela sua moglie innamorata di un altro, per questo se lo sentiva che il padre di sua figlia era un mostro che magari se l'era presa con la *violenza*. E quella donna non era più riuscito a toccarla, per questo non avevano avuto bambini. Il Reduce scoppiò a piangere e si vergognava da morire perché da bambino gli avevano insegnato a non mostrare mai il dolore. Allora anche nonna si mise a piangere dicendo che invece a lei avevano insegnato a non mostrare la gioia e forse avevano ragione perché l'unica cosa che le era andata bene, essersi sposata con nonno, le era stata indifferente e non aveva capito perché quei pretendenti fuggissero tutti via, ma del resto cosa ne sappiamo davvero degli altri.

disgraziato, chi non ha fortuna
vena, fantasia
violenza, azione contro la volontà di qualcuno

Lei una volta, a proposito di non capirsi, aveva preso il coraggio e con il cuore che sembrava uscirle dal petto da quanto batteva forte aveva chiesto a nonno se adesso avendola conosciuta meglio, se avendo vissuto con lei tutto questo tempo e non avendo più bisogno di andare alla Casa Chiusa, se le voleva bene. E nonno aveva fatto una specie di sorriso fra sé senza guardarla e non si era sognato minimamente di risponderle. E insomma, cosa possiamo saperne, davvero anche di quelli più vicini.

11.

Nel 1963, nonna andò con il marito e papà a trovare la sorella e il cognato *emigrati* a Milano.

Avevano venduto anche la casa di paese per aiutarli e i nonni avevano rinunciato alla loro parte, ma non ce l'avevano fatta lo stesso a vivere in tre famiglie contadine. Alle altre due sorelle, che vivevano della terra, aveva fatto comodo, in fondo, che almeno una fosse partita. Nonna aveva sofferto molto e non era andata neanche a vederli prendere il treno per Porto Torres, la sua sorella più piccola, il cognato e i figli. E anche per la casa aveva sofferto.

Quando fecero il viaggio a Milano sapeva che ormai erano diventati ricchi, perché la sorella le scriveva che c'era lavoro per tutti e il sabato facevano la

emigrare, andare a vivere in altri paesi o, come qui, in Continente

SUPERMERCATO
salsiccia
carrello

spesa al supermercato e riempivano *carrelli* di roba da mangiare e quell'idea, che avevano avuto sempre in testa, di *fare economia*, tutto finito. A Milano andavano nei grandi magazzini e si vestivano di nuovo. Quello che non le piaceva era il clima, lo smog. Doveva lavare continuamente tutto, ma a Milano c'era tanta acqua, non come in Sardegna, e si poteva lasciare scorrere e scorrere senza la preoccupazione di lavarti. A Milano lavare e lavarsi erano un divertimento. E poi la sorella non aveva granché da fare, dopo i mestieri di casa, che finivano subito perché le case erano piccole, visto che in quello spazio dovevano starci milioni di abitanti, non come in Sardegna, che avevano quelle case enormi che non servivano a niente, perché non c'erano comodità, insomma i mestieri li finiva subito e poi se ne andava in giro per la *metropoli* a vedere i negozi e a comprare, comprare.

I nonni non sapevano cosa portare ai parenti ricchi di Milano. In fondo non gli serviva niente. Allora nonna propose un pacco poetico, della *nostalgia*, perché è vero che mangiavano e si vestivano bene, però la *salsiccia* sarda e un bel *pecorino* e l'olio e il vino della Marmilla e il prosciutto e i maglioni per i bambini fatti a mano da nonna, insomma avrebbero respirato un po' di profumo di casa.

fare economia, risparmiare
metropoli, grande città
nostalgia, desiderio intenso e doloroso di persone o luoghi
pecorino, formaggio salato fatto con il latte di pecora

Si misero in viaggio senza *avvisarli*. Sarebbe stata una sorpresa. Nonno fece arrivare una cartina di Milano e studiò bene le strade per vedere le cose più belle della città.

5 Si vestirono tutti e tre di nuovo per non *sfigurare*. Nonna si comprò le creme di Elisabeth Arden, perché ormai era sulla cinquantina e voleva che il Reduce, il cuore le diceva che si sarebbero incontrati, la trovasse ancora bella. Ma non è che fosse molto
10 preoccupata per questo. Tutti erano convinti che un uomo di cinquant'anni non guarderebbe mai una *coetanea*, però questi erano ragionamenti per le cose del mondo. L'amore no. L'amore non *bada* né all'età né a nient'altro che non sia l'amore. E il Re-
15 duce era proprio di quell'amore che l'aveva amata. Chissà se l'avrebbe riconosciuta subito. Che faccia avrebbe fatto. Non si sarebbero abbracciati alla presenza di nonno, di papà, o della moglie, o della figlia del Reduce. Si sarebbero stretti la mano e guar-
20 dati, guardati, guardati. Da morire. Invece se lei avesse cercato di uscire da sola e da solo lo avesse incontrato, allora sì. E si sarebbero baciati e stretti per *recuperare* tutti quegli anni. E se lui glielo avesse chiesto, lei non sarebbe tornata a casa mai più. Per-
25 ché l'amore è più importante di tutte le altre cose.

Nonna non era mai stata in Continente, se non nel paesino delle Terme, e nonostante quello che le aveva scritto la sorella pensava che a Milano ci si

avvisare, avvertire
sfigurare, fare brutta figura
coetaneo, della stessa età
badare, tener conto, preoccuparsi di qualcosa
recuperare, riprendere

incontrasse facilmente come a Cagliari ed era emozionatissima perché credeva di vedere subito per strada il suo Reduce. Però Milano era grandissima, altissima, coi palazzi grandi, bellissima, grigia, *nebbiosa*, tanto traffico, il cielo a pezzetti fra gli alberi, tante luci di negozi, *semafori*, *tram*, la gente con le facce dentro un'aria di pioggia. Appena scesa dal treno, alla stazione Centrale, stette attenta a tutti gli uomini per vedere se c'era il suo, alto, magro, il viso dolce e le stampelle e ce n'erano tanti, uomini, che salivano e scendevano da quei treni che andavano dappertutto, Parigi, Vienna, Roma, Napoli, Venezia, ed era impressionante come il mondo era grande e ricco, ma lui non c'era.

nebbioso, pieno di nebbia

Alla fine trovarono la via e il palazzo della sorella, che loro si aspettavano moderno, una specie di *grattacielo*, invece era antico. Nonna lo trovò bellissimo anche se la facciata era *malandata*, e molti vetri delle finestre erano stati sostituiti da pezzi di cartone. Il portone era pieno di scritte e i foglietti con i cognomi erano *appiccicati* vicino all'unico campanello. Però erano sicuri di essere arrivati, visto che le lettere venivano e andavano da un anno a quest'indirizzo di Milano. Suonarono e una signora si affacciò dal balcone. Disse che i *sardignoli* a quell'ora non c'erano, ma potevano entrare e salire fin su e chiedere agli altri *terún*.

Allora tutti e tre entrarono. C'era buio e un odore di aria chiusa. La scala doveva essere stata bellissima, ma sicuramente i *bombardamenti* dell'ultima guerra dovevano averla *danneggiata*. Nonno volle salire per primo e poi fece salire papà tenendogli stretta la mano e dicendo a nonna di mettere i piedi esattamente lì dove li aveva messi lui. Salirono fin su, fino al tetto. Ma appartamenti non c'erano. C'era una porta aperta che dava su un *corridoio* lunghissimo e buio, tutto attorno alla scala e lì tante altre porte. Però a queste porte erano attaccati i biglietti con i cognomi e in fondo anche quello del loro co-

grattacielo, palazzo molto alto
malandato, che si trova in cattivo stato
appiccicare, attaccare
sardignolo, sardo detto con tono di disprezzo
terún, terrone (uomo della terra, contadino): modo di chiamare un meridionale a Milano
bombardamento, il buttare bombe su qualcosa (citta, case, persone ecc.)
danneggiare, fare danno a qualcosa/a qualcumo
corridoio, ingresso stretto

gnato. Bussarono ma non venne ad aprire nessuno e invece si affacciarono sul corridoio delle altre persone e quando loro dissero chi cercavano e chi erano gli fecero un sacco di feste e li invitarono a entrare nel loro *abbaino* e ad aspettare lì. Il cognato era fuori col *carretto* degli *stracci*, la sorella a servire, i bambini restavano dalle *suore* tutto il giorno. Li fecero sedere sul lettone, sotto l'unica finestrella da cui si vedeva un pezzo di cielo grigio e papà voleva andare in bagno, ma nonno gli fece gli occhiacci perché era chiaro che bagno non ce n'era.

Forse dovevano andarsene subito. Potevano portare a quei poveri disgraziati solo un'infinita vergogna. Ma era tardi. Quei vicini affettuosi e gentili, anche loro terroni, li avevano già riempiti di domande e scappare sarebbe stato aggiungere *disprezzo* a offesa.

abbaino, piccola camera sotto il tetto
suora, qui: religiosa che fa la maestra
disprezzo, mancanza di rispetto

Così aspettarono e l'unico davvero triste era nonno. Papà era comunque entusiasta, perché a Milano avrebbero trovato degli *spartiti* che a Cagliari bisognava ordinare e aspettare per mesi e a nonna non
5 le importava niente se non di incontrare il Reduce e questo momento lo aspettava da quell'autunno del 1950. Chiese subito a sua sorella dov'erano le *case di ringhiera*, le disse che era curiosa perché ne aveva sentito parlare e allora ebbe l'indicazione della zona
10 dove ce n'erano di più e lasciò che nonno andasse con papà a vedere la Scala, il Duomo, la Galleria Vittorio Emanuele, il Castello Sforzesco e a comprare gli spartiti. Si capiva che nonno c'era rimasto male, ma non le aveva detto nulla, come sempre.
15 Anzi la mattina le faceva vedere sulla piantina le strade che doveva fare per vedere quelle zone che la incuriosivano e le diceva che tram doveva prendere e le lasciava sempre i *gettoni telefonici* e i numeri utili e i soldi se si fosse persa. Bastava che non si
20 agitasse, che chiamasse un taxi e sarebbe tornata a casa tranquillamente. Nonna non era insensibile, né stupida o cattiva, e si rendeva conto perfettamente di quello che stava facendo e che stava dando a nonno un dispiacere. Questo lei non lo voleva per
25 nulla al mondo. Per niente al mondo, ma per il suo amore sì. Così, con il cuore in gola se ne andò a cercare la casa del Reduce. Era sicura di trovarla, un palazzo alto con i balconi, un grande portone, un

spartito, libro di note musicali
casa di ringhiera, (vedi illustrazione, pag. 43) palazzo popolare tipico di fine 1800 dove tutti gli ingressi si aprono su un balcone comune
gettone telefonico, moneta che si usava per telefonare

ringhiera

enorme cortile, all'interno, dove si affacciavano piani e piani di balconi stretti a ringhiera. Il Reduce stava a quello rialzato, la porta su 5 una scaletta, dove la sua bambina stava ad aspettarlo seduta. Nonna come se fosse un delinquente, entrò in un bar e chiese un 10 elenco telefonico e cercò il cognome del Reduce ma, anche se era genovese, di quel cognome ce n'erano pagine e l'unica 15 speranza era avere fortuna e che la zona fosse quella e la casa fosse quella. Di case di ringhiera ce n'erano per tante strade lunghissime e nonna guardava anche dentro i negozi, che erano ricchi, però erano tanti, tanti e forse il Reduce 20 tornando dal lavoro faceva la spesa e magari se lo sarebbe visto davanti, bellissimo, le sorrideva e le diceva che anche lui non l'aveva dimenticata e in cuor suo la aspettava.

Invece papà, i cuginetti e nonno se ne erano an- 25 dati in centro tenuti per mano nella nebbia e nonno aveva offerto al figlio e ai nipotini la cioccolata da *Motta* seduti al tavolino e poi li aveva portati nei migliori negozi di *giocattoli* dove aveva comprato ai

Motta, bar/pasticceria famoso/a a Milano
giocattolo, oggetto con cui giocano i bambini

nipotini le costruzioni Lego e gli aeroplanini che si alzavano da terra e persino un *calcio-balilla* da casa e poi erano andati dentro il Duomo e mio padre di quel viaggio a Milano ne parla come di una cosa
5 bellissima se non fosse stato che gli mancava il suo pianoforte. Se nonna avesse trovato il Reduce sarebbe scappata con lui, così com'era, portando con sé solo quello che aveva addosso, la borsetta e le scarpe comprate apposta per essere elegante se lo aves-
10 se incontrato.

Pazienza per papà e per nonno anche se li amava e le sarebbero mancati da morire. Si consolava all'idea che tanto loro due erano tutt'uno e parlavano sempre un po' avanti a lei quando uscivano e a ta-
15 vola parlavano mentre lei lavava i piatti e da piccolo papà la buonanotte la voleva innanzitutto da suo padre e la storia per dormire. Pazienza per Cagliari. Pazienza per la spiaggia del Poetto.

I giorni seguenti, per le vie di Milano, il nonno la
20 prendeva a braccetto e dall'altro lato teneva per le spalle papà, che a sua volta dava la mano ai cugini più piccoli, perché così stretti l'uno all'altro, non si sarebbero persi. Al nonno in quegli ultimi giorni, da quando nonna aveva smesso di cercare le case di
25 ringhiera, era venuta una strana allegria e non faceva altro che dire *battute* e tutti a tavola ridevano.

Uno di questi giorni lui si fissò con l'idea che doveva comprarle un vestito che fosse davvero bello e

calcio-balilla, gioco di pallone, calcio, con piccole figure
battuta, frase divertente

degno di un viaggio sino a Milano e disse anche una cosa che non aveva mai detto prima: "Voglio che compri una cosa bella. Bellissima".

E così si fermavano a guardare tutte le *vetrine* più eleganti e papà e i cuginetti *brontolavano* sempre 5 perché era una grande noia aspettare che nonna si provasse questo e quello allo specchio con quel-l'aria *svogliata*.

Ora le possibilità di incontrare il Reduce, in quella Milano nella nebbia, diventavano sempre meno e a 10 nonna del vestito non gliene importava niente, però lo comprarono lo stesso, e nonno rimase così contento dell'acquisto che ogni giorno voleva che nonna mettesse il vestito nuovo e prima di uscire le diceva "Bellissimo," ma sembrava volesse dire "Bellissima". 15

E anche questo nonna non se lo perdonò mai. Non aver saputo *afferrare* quelle parole nell'aria ed essere felice.

Al momento dei saluti lei piangeva e non era per la sorella, il cognato, i nipotini, ma perché se il de- 20 stino non aveva voluto che incontrasse il Reduce, allora voleva dire che era morto. Se non fosse stato cosí lui l`avrebbe cercata, sapeva dove abitava e Cagliari non è Milano. Davvero il Reduce poteva non esistere piú e per questo adesso piangeva. Nonno la 25 fece sedere sull`unico letto. La consolavano. Le misero in mano un bicchierino per il *brindisi* di addio

vetrina, grande finestra di un negozio
brontolare, lamentarsi
svogliato, che non ha voglia
afferrare, cogliere
brindisi, il salutare con in mano un bicchiere, p. es. pieno di vino

e la sorella e il cognato dissero che era per incontrarsi in tempi migliori, ma nonno non volle brindare ai tempi migliori, ma a quel viaggio invece, in cui erano stati tutti insieme e avevano mangiato bene e avevano anche fatto qualche risata.

Allora nonna, con quel bicchierino in mano, pensò che forse il Reduce era vivo. E pensò anche che c`era ancora un`ora di tempo fino alla stazione in tram. Ma arrivati alla stazione Centrale ormai mancava poco alla partenza del treno per Genova, dove avrebbero preso la nave e poi ancora il treno e sarebbe ricominciata quella vita dove la mattina *innaffi* i fiori sul terrazzo e poi prepari la colazione e poi il pranzo e la cena e tuo marito e tuo figlio se gli chiedi come è andata ti rispondono: "Normale. Tutto normale. Stai tranquilla," e mai che ti raccontino bene le cose come faceva il Reduce o che tuo marito ti dica che sei l`unica per lui, quella che aveva sempre aspettato. Allora adesso, se Dio non le voleva far incontrare il Reduce, che la ammazzasse. La stazione era sporca. Mentre stava seduta ad aspettare che marito e figlio facessero i biglietti le venne uno schifo infinito per Milano, che le sembrò brutta, come tutto il mondo.

Seguí nonno e papà, che discutevano fra loro, pensò che se lei fosse tornata indietro non se ne sarebbero neppure accorti. Avrebbe continuato a cercare il Reduce per tutte le strade schifose del mondo e se fosse morta di fame meglio cosí.

Allora lasciò andare le valigie e i pacchi e si precipitò giù con tutta la gente che saliva, dicendo:

| *innaffiare*, dare acqua ai fiori

"Scusate! Scusate!" ma proprio alla fine la *scala mobile* la fece cadere mangiandole un scarpa e un pezzo del *cappotto* e le strappò il bellissimo vestito nuovo. Due braccia la aiutarono a *sollevarsi*. Nonno le si era precipitato dietro e adesso la teneva e la accarezzava come avrebbe fatto con una bambina: "Non è successo niente", le diceva, "non è successo niente". 5

sollevarsi, alzarsi

Tornata a casa si mise a *fare il bucato* di tutte le cose sporche del viaggio. Adesso stavano bene e nonna aveva la *lavatrice*. Divise tutte le cose: quelle che andavano lavate ad alta temperatura e quelle ad acqua fredda. Ma forse pensava ad altro, non si sa, e distrusse tutto. Papà mi ha raccontato che li abbracciava, a lui e a nonno, fra le lacrime e andava a prendere i coltelli da cucina e glieli metteva in mano perché la ammazzassero e si sbatteva la testa al muro e si buttava per terra.

Mio padre sentì che nonno telefonava alle zie e diceva che lei, a Milano, non aveva retto vedendo la sua sorella più giovane ridotta così, perché qui in Sardegna i piccoli proprietari terrieri erano modesti ma rispettati da tutti e invece avevano dovuto emigrare, le donne a fare le *serve*, che per un marito è l'umiliazione peggiore, gli uomini a respirare i *veleni* delle industrie, senza *tutela* e soprattutto senza nessun rispetto e i figli si vergognavano, a scuola, dei loro cognomi sardi con tutte quelle u. Lui questo non lo aveva sospettato, scrivevano che stavano bene e loro avevano pensato a fargli una sorpresa andando a trovarli e invece li avevano soltanto fatti vergognare. I ragazzini si erano buttati sulle salsicce e il prosciutto come se non mangiassero da chissà quanto, suo cognato quando aveva tagliato il formaggio e aperto la bottiglia di vino gli aveva detto che su quelle terre a loro era sembrato che non ci si

fare il bucato, lavare i vestiti
lavatrice, macchina che lava gli abiti e i panni
serva, donna di servizio
veleno, sostanza che fa male alla salute - che uccide
tutela, protezione

potesse vivere e invece avevano avuto ragione quelli che erano rimasti. A questo nonna, fatta a modo suo come le sorelle ben sapevano, non aveva retto e poi aveva anche saputo che oggi era stato ucciso il presidente Kennedy e aveva distrutto uno stipendio 5
di bucato. A lui non importava, che i soldi vanno e vengono, ma non c`era verso di calmarla. Che venissero a Cagliari, per favore, subito, con la prima *corriera*.

Invece poi, per i miei zii e i miei *cugini*, le cose an- 10
darono sempre meglio. Mio padre, che andava sempre a trovarli nei suoi giri di musicista, raccontava che vivevano in un palazzone altissimo pieno di emigrati, ma c'erano il bagno e la cucina e di emigrati a un certo punto non si poteva parlare più, per- 15
ché ormai si consideravano Milanesi e nessuno più li chiamava terùn, perché adesso la lotta era fra i rossi e i neri. Papà mi racconta che si facevano certi litigi fra lui e i cugini. Per la politica e per la Sardegna. Perché loro facevano domande cretine tipo: 20
"Ma con che mezzi di trasporto vi spostate laggiú?" Oppure: "Le galline le tenete in balcone?" Allora papà prima la prendeva a ridere e poi si *incazzava*. È che loro non gli perdonavano il suo disinteresse per la politica. Però si volevano bene e facevano 25
sempre la pace. Avevano fatto amicizia quel famoso novembre 1963, quando giravano per i tetti, di nascosto ai genitori, lo zio di Milano a vendere stracci

corriera, bus
cugino, figlio del fratello o della sorella del padre o della madre.
incazzarsi, arrabbiarsi molto

e lo zio di Cagliari dietro ad aiutarlo, la zia di Milano dai padroni a servire e la zia di Cagliari, tutta matta, a studiare le case di ringhiera.

Nonna mi raccontava che poi la sorella le telefonava da Milano e le diceva che era preoccupata per papà, un ragazzo fuori dal mondo, tutto musica. Niente ragazze, mentre i suoi figli, piú piccoli erano già fidanzati. Il fatto è che papà non era alla moda, aveva i capelli corti quando tutti erano capelloni tranne i fascisti e lui poveretto non era certo fascista, è che non voleva che i capelli gli andassero sugli occhi mentre suonava. Le faceva pena, senza una ragazza, solo solo con i suoi spartiti. Allora nonna si metteva a piangere per la paura di aver trasmesso al figlio quel genere di pazzia che fa scappare l`amore. Era stato un bambino sempre solo che nessuno invitava mai da nessuna parte. Lei ci provava a dire a papà che esistevano anche le altre cose del mondo e anche nonno, che però ci rideva su, e non potevano dimenticare la notte del 21 luglio 1969, quando mentre Armstrong scendeva sulla Luna il loro figlio non aveva smesso di provare "*Paganini Variationen Opera 35 Heft I*" di Brahms per il concerto di fine corso.

12.

Quando nonna si accorse di essere ormai vecchia mi diceva che aveva paura di morire. Non per la

Paganini Variationen Opera 35 Heft I, opera di J. Brahms, *Variazioni* su tema di Paganini, opera 35, quaderno I

morte in sé, che doveva essere come andare a dormire o fare un viaggio, ma sapeva che Dio con lei era offeso, perché le aveva dato tante cose belle in questo mondo e lei non era riuscita a essere felice e questo, Dio, non poteva averglielo perdonato. In 5
fondo sperava di essere matta davvero, da sana l'Inferno era sicuro. Però con Dio avrebbe discusso, prima di andare all'Inferno. Gli avrebbe fatto notare che se Lui crea una persona in un certo modo poi non può pretendere che *agisca* come se non fosse 10
lei. Aveva speso tutte le sue forze per convincersi che quella era la migliore vita possibile, e non quell'altra di cui la nostalgia e il desiderio le toglievano il respiro. Ma di certe cose a Dio avrebbe chiesto sinceramente perdono: il vestito che nonno le aveva 15
comprato a Milano e lei aveva strappato nella scala mobile alla stazione, la sua *incapacità* a godere di tante giornate di mare, quando pensava che il Reduce sarebbe arrivato al Poetto.

E quel giorno d'inverno, quando nonno era tor- 20
nato a casa con abbigliamento da montagna, e le aveva proposto una gita sul Supramonte, organizzata dal suo ufficio per i dipendenti delle Saline, e lei, anche se in montagna non c'era mai stata, aveva provato soltanto fastidio e l'unica cosa che 25
avrebbe voluto fare sarebbe stata strappargli dalle mani quell'abbigliamento ridicolo. Ma lui continuava a dirle che i veri Sardi la Sardegna la devono conoscere.

Nonna, svogliata, alla fine aveva detto: "Va bene," 30

agire, comportarsi
incapacità, il non essere capaci

e si era messa a preparare i panini. Si erano *coricati* presto perché dovevano essere alle cinque di mattina all'appuntamento. Tutto era coperto di neve e papà *non stava nella pelle,* ma nonno già batteva i denti e gli altri del gruppo gli avevano consigliato il caldo e i ravioli di patate di un ristorante in paese. Invece lui, testardo, niente. Dovevano conoscerli i monti della Sardegna, loro, gente di mare.

Nonna, per un buon tratto, se ne era andata avanti quasi non avesse né marito né figlio, poi però, quando era apparso il lago di Oladi, gelato, come arrivato dal mondo della fantasia in quell'immensa solitudine, allora si era fermata ad aspettarli.

"Guardate! Guardate che bello!"

E aveva continuato a misurare il suo passo, le sue belle scarpe con quelle brutte di nonno, perché non ce l'aveva con lui, anzi, le dispiaceva tantissimo non amarlo. Le dispiaceva tantissimo e le faceva pena e si chiedeva perché Dio, nell'amore, che è la cosa principale, organizzi le cose in modo così assurdo, che fai tutte le gentilezze possibili e non c'è verso di farlo venire e magari fai la *stronza,* come stava facendo lei adesso, che non gli aveva prestato nemmeno la *sciarpa,* e invece lui la seguiva, nella neve, perdendo perfino l'occasione di mangiare i ravioli di patate. Durante il viaggio di ritorno le ave-

coricarsi, andare a dormire
non stare nella pelle, essere impazienti e allegri
stronzo, persona motto antipatica

va fatto cosí pena che nel buio della corriera aveva appoggiato la testa sulla sua spalla.

E nonno faceva spavento per quanto era freddo e sembrava un morto.

A casa avevano preparato il bagno caldo e la cena e si era spaventata per quanto nonno beveva. Uguale a sempre ma era come se non l`avesse mai visto.

Di notte, però, era stato bellissimo. Più di tutte le altre volte.

Avevano giocato a lungo e poi nonno si era messo a fumare la pipa e allora lei si era rannicchiata nella sponda opposta del letto e come sempre si era addormentata.

13.

Invece con il Reduce la notte era così emozionata per aver scoperto, sicuramente, la famosa cosa principale, che stava sveglia a guardare come lui era bello e non era distante da lei neppure quando dormiva. E si metteva da sola il braccio del Reduce attorno alle spalle e la mano sulla testa e l`impressione che le faceva questa posizione mai provata era tale che non riusciva a rassegnarsi a quella cosa, secondo lei senza senso, che è addormentarsi quando si è felici. Quindi c`era da chiedersi se gli innamorati vivessero così. E se fosse possibile. E se non decidessero anche loro a un certo punto di mangiare e dormire.

Come le piacevano Cagliari e il mare e il suo paese con quell`odore misto di legna, sapone, grano, pomodori, pane caldo.

Ma non quanto lui, il Reduce. Lui le piaceva piú di tutte le altre cose.

Con lui non si vergognava di niente, e siccome per tutta la vita le avevano detto che sembrava una di un
5 paese della luna, le sembrò di aver incontrato, finalmente, uno di quel suo stesso paese ed era quella la cosa principale della vita, che le era sempre mancata.

Il quadernetto lo aveva regalato al Reduce, perché ormai non avrebbe piú avuto tempo per la scrit-
10 tura. Bisognava cominciare a vivere. Perché il Reduce fu un attimo e la vita di nonna tante altre cose.

14.

Tornata a casa *rimase* subito *incinta* e in tutti quei mesi non ebbe mai una colica renale e la pancia cresceva e nonno e le vicine non le lasciavano mai toc-
15 care niente. Mio padre ebbe una *culla* di legno celeste e quando compì un anno il nonno volle una festa in grande e comprò una macchina fotografica e gustò finalmente, poveretto, una torta di compleanno davvero felice, all'americana, con crema, cioccolata e la
20 candelina. Nonna nelle fotografie non c'è. Era fuggita a piangere in camera, per l'emozione, perché avevano iniziato a cantare "Tanti auguri a te". E quando erano andati tutti a convincerla di rientrare, continuava a dire che non poteva crederci che da lei fosse

rimanere incinta, aspettare un bambino
culla, lettino per bambini appena nati

uscito un bambino e non solo pietre. E continuava a piangere e le sorelle, venute apposta dal paese, e nonno, sicuramente si aspettavano qualche cosa che facesse scoprire a tutta quella gente che nonna era stata pazza. Invece nonna si alzò dal letto, si asciugò gli occhi e tornò in cucina e prese in braccio il suo bambino. Nelle fotografie non c'è perché si sentiva brutta e per il primo compleanno di suo figlio voleva essere bella.

Poi nonna rimase incinta altre volte, ma a tutti quelli che sarebbero stati i fratelli di mio padre evidentemente mancò la famosa cosa principale e non vollero nascere e tornarono indietro dopo i primi mesi.

Nel 1954 vennero ad abitare in via Manno. Furono i primi ad andarsene dalla casa comune della via Sulis e, anche se la via Manno è a due passi, sentivano nostalgia. Cosí nonno la domenica invitava i vecchi vicini. La via Manno nonna l'ha amata subito. Il terrazzo diventò presto un giardino.

15.

Certe volte ho pensato che il Reduce, nonna, non la amasse. Non le aveva dato il suo indirizzo e lui sapeva dove lei abitava e non le aveva mai neppure mandato una cartolina. Il Reduce non voleva rivederla. Anche lui aveva pensato che fosse pazza e aveva paura di trovarsela un giorno sulla scaletta di casa. O invece no. Magari era davvero amore e non voleva che commettesse la *follia* di lasciare per lui

follia, pazzia

tutte le altre cose del suo mondo. E allora perché farsi vivo e rovinare tutto? Comparirle davanti e dirle: "Eccomi, sono la vita che avresti potuto vivere e non hai vissuto". E *metterla in croce*, povera donna. Come se non avesse sofferto abbastanza.

16.

Mi sono chiesta, senza mai osare dirlo a nessuno, naturalmente, se il vero padre di mio padre non sia il Reduce e quando ero all'ultimo anno del *liceo* e si studiava la seconda guerra mondiale e il prof domandava se qualcuno dei nonni l'avesse fatta e come, a me veniva dire sí. Un medico americano gli aveva tagliato la gamba. Mio nonno era Tenente di Vascello. Ma mio nonno era rimasto un uomo bellissimo, come diceva nonna, da guardarlo di nascosto, i primi giorni alle Terme, mentre leggeva, con quel collo da ragazzo *chino* sul libro e quel sorriso e quelle braccia forti e quelle mani così grandi per essere di un pianista e quel tutto da averne nostalgia per il resto della vita. E la nostalgia è una cosa triste, ma anche un po' felice.

17.

Con gli anni nonna si era nuovamente ammalata ai reni e ogni due giorni la andavo a prendere in via

mettere in croce qualcuno, fare stare male qualcuno
liceo, scuola superiore
chino, piegato

Manno e la portavo a fare la *dialisi*. Non voleva darmi disturbo e cosí si faceva trovare giú in strada.

Un giorno di dialisi non la trovai al portone e pensai che si sentisse piú debole del solito, cosí feci i tre piani di scale di corsa per non tardare, visto che 5 c'erano orari precisi per il trattamento in ospedale. Suonai e non rispose ed ebbi paura che fosse *svenuta* e allora aprii con le mie chiavi. Era tranquillamente distesa sul letto, addormentata, pronta per uscire, con la borsa sulla sedia. Cercai di svegliarla, 10 ma non voleva rispondermi. Mi venne una disperazione nell`anima perché mia nonna era morta. Mi attaccai al telefono e ricordo soltanto che volevo chiamare qualcuno che la *resuscitasse*, mia nonna, e ci volle tanto per convincermi che nessun dottore 15 poteva farlo.

Soltanto quando è morta ho saputo che volevano *internarla* e che prima della guerra i miei bisnonni erano venuti a Cagliari, dal paese, con la corriera, e il manicomio, sul Monte Claro, gli era sembrato un bel posto 20 per la figlia. Queste cose mio padre non le ha mai sapute. Le hanno invece raccontate a mamma le mie *prozie*, quando stava per sposarsi con papà. La invitarono in paese per parlarle in grande segretezza e farle sapere quale sangue scorreva nel ragazzo che amava 25 e con il quale avrebbe avuto dei figli. Si prendevano

dialisi, trattamento per pulire il sangue - da fare in ospedale
svenire, perdere coscienza
resuscitare, fare rivivere
internare, mettere in un manicomio, ospedale per malati di mente
prozio/a, fratello o sorella dei nonni, zio/zia della madre o del padre

loro questo *imbarazzo* che il cognato non aveva avuto la correttezza di dirle un bel niente, alla sua futura *nuora*. Non volevano criticarlo, era un grand'uomo, perché si era sacrificato e si era sposato nonna che era 5 malata, e quando nonna non c'era più erano arrivati i corteggiatori anche per loro, poverette, ed era iniziata la vita normale senza quella sorella spesso rinchiusa lassù nel *granaio*, che si tagliava i capelli.

Potevano capire che non avesse raccontato nulla 10 al figlio, tanto il sangue che aveva ormai l'aveva ma lei, una ragazza sana, era giusto sapesse. Così, seduta davanti ai dolci sardi e al caffè mia madre ascoltò il racconto delle sue future zie.

Il manicomio ai genitori era sembrato un bel posto 15 per nonna, con un grande bosco. Quello che sarebbe stato il posto di nonna era quello chiamato dei Tranquilli, una villa a due piani e nessuno avrebbe detto che lì ci vivevano i pazzi. Essendo nonna una tranquilla avrebbe potuto uscire e andare forse anche 20 nella palazzina della Direzione, con la biblioteca e una sala di lettura dove avrebbe scritto e letto romanzi e poesie a suo piacimento, ma sotto controllo. E non le sarebbe mai accadute cose terribili come essere legata al letto. In fondo a casa era peggio perché, 25 quando le venivano le crisi di disperazione e voleva ammazzarsi, bisognava pur salvarla in qualche modo. E come, se non rinchiudendola su nel granaio, o legandola al letto. Il *Modulo* informativo per l'ammis-

imbarazzo, cosa spiacevole, difficoltà
nuora, moglie del figlio
granaio, luogo dove si tiene il grano
modulo, foglio da riempire per essere ammessi - a qualcosa

sione dei pazzi nel Manicomio di Cagliari i genitori l'avevano preso, anche se poi avrebbero dovuto convincere nonna a farsi visitare e loro stessi avevano bisogno di pensarci e poi l'Italia entrò in guerra.

Ma non si poteva tenerla in casa, e anche se non aveva mai fatto male a nessuno, se non a se stessa e alle sue cose, e non era un pericolo, tutti in paese indicavano la loro strada dicendo "Là, dove vive la matta".

Nonna li aveva sempre fatti vergognare, da quella volta in chiesa in cui aveva visto un ragazzino che le piaceva e aveva incominciato a girarsi continuamente verso i banchi dei maschi e a sorridergli. La mia bisnonna era fuggita dalla chiesa *strattonando* quella che allora era ancora la sua unica figlia, che urlava: "Ma io lo amo, e anche lui mi ama!" e appena dentro il portone di casa l'aveva picchiata con tutto quello che aveva trovato. Poi aveva chiamato il prete per farle uscire dal corpo il *demonio*, ma il prete le aveva dato la benedizione e aveva detto che la bambina era una buona bambina e che del diavolo non c'era neppure l'ombra. Questa storia la mia bisnonna la raccontava a tutti per giustificare la figlia, per far capire che era matta ma buona, e che a casa loro non c'era pericolo. La malattia di nonna loro potevano definirla una specie di follia amorosa. In questo senso. Bastava che un uomo gradevole *varcasse* il portone di casa e le sorridesse, o soltanto la guardasse, e siccome era davvero bella questo poteva succedere, lei lo credeva un pre-

strattonare, strappare e tirare con forza
demonio, diavolo
varcare, superare, passare oltre

tendente. Iniziava ad aspettare una visita, una dichiarazione d'amore, una proposta di matrimonio, e scriveva sempre su quel maledetto quaderno, che loro avevano cercato per portarlo a un dottore del manicomio, ma era risultato introvabile. Chiaramente nessuno mai arrivava a chiederla in moglie e lei aspettava e guardava fisso il portone, e se ne stava seduta, vestita con le sue cose migliori, bellissima, perché davvero lo era, e sorrideva fissa come se non capisse niente, come se fosse arrivata qui da un paese della luna. Poi la madre aveva scoperto che scriveva lettere, o poesie d'amore a questi uomini e quando capiva che non sarebbero mai tornati iniziava la *tragedia* e urlava e si buttava per terra e voleva distruggere se stessa e tutte le cose che aveva fatto e dovevano legarla al letto. Pretendenti in realtà non ne ebbe, perché mai uno del paese avrebbe chiesto la mano di mia nonna e c'era solo da pregare Dio che qualcuno, con la vergogna di una matta in famiglia, volesse le altre sorelle.

Quel maggio 1943 il loro cognato, sfollato, senza casa e fresco del dolore della moglie, ne vide di tutti i colori e non c'era stato bisogno di spiegargli niente perché per nonna la primavera era la stagione peggiore. Nelle altre stagioni era più tranquilla. I primi giorni dello sfollamento, nonno, a cena, di fronte alla minestra, raccontò della casa di via Manno, delle bombe e della morte dei suoi che erano tutti riuniti, il 13 maggio, per il suo compleanno, e la moglie gli aveva promesso una torta e lui stava per arrivare quando era suonato l'allarme e allora aveva pensato

| *tragedia*, fatto doloroso, situazione che porta molto dolore

di trovarli al rifugio dei Giardini Pubblici e invece al rifugio, dei suoi, non c'era nessuno. Nonna si era alzata di notte e aveva fatto *scempio* dei suoi ricami strappandoli, dei suoi dipinti a metà muro. Il giorno dopo il loro futuro cognato aveva cercato di parlarle 5
e siccome lei si era chiusa nella stalla, le parlava dal cortile, attraverso la porta di legno e le diceva che così è la vita, che ci sono delle cose orribili ma anche bellissime, come per esempio le sue *decorazioni* e i ricami che lei aveva fatto, perché li aveva distrutti? 10
Nonna, da lì dentro, stranamente gli aveva risposto: "Le mie cose sembrano belle, ma non è vero. Sono brutte, invece. Dovevo morire io. Non vostra moglie. Vostra moglie aveva la cosa principale che rende tutto bello. Io no. Io sono brutta. Dovevo morire io". 15

"E qual è, signorina, secondo voi, questa cosa principale?" aveva chiesto nonno. Ma dalla stalla non si era sentito più niente. E anche dopo, quando perdeva i bambini i primi mesi di *gravidanza*, diceva così, che lei tanto non sarebbe stata una buona 20
madre perché le mancava la cosa principale e che i suoi figli non nascevano perché anche loro mancava quella stessa cosa.

Alla fine del racconto, le future zie accompagnarono mamma alla corriera e dopo averle messo in 25
mano le buste con i dolci, la salsiccia e il pane e accarezzato i lunghissimi capelli come si usava allora, aspettando la corriera, tanto per cambiare discorso, le chiesero cosa voleva fare nella vita.

scempio, rovina, distruzione
decorazione, cosa bella, p. es. un bel disegno su un muro
gravidanza, l'essere incinta

"Suonare il flauto," rispose mamma.

Certo, ma loro intendevano come lavoro, come vero lavoro.

"Suonare il flauto," ripeté mia madre.

5 E le mie prozie si guardarono e si capiva benissimo quello che stavano pensando.

18.

Mamma mi ha raccontato queste cose dopo che nonna è morta. Le ha sempre tenute per sé e non ha mai avuto paura di farmi allevare da una *suocera*

10 che amava molto. Anzi, pensa che dobbiamo essere *grati* a nonna perché si è presa tutto il disordine che magari sarebbe toccato a papà e a me. Secondo mamma, infatti, in una famiglia il disordine deve prendere qualcuno, perché la vita è fatta così, un

15 *equilibrio* fra i due. Altrimenti il mondo si ferma. Se la notte noi dormiamo senza *incubi*, se il matrimonio di papà e mamma è sempre stato senza *scosse*, se mi sposo con il mio primo ragazzo e non tentiamo di *suicidarci* è merito di nonna, che ha pagato

20 per tutti. In ogni famiglia c'è sempre uno che paga perché l'equilibrio fra ordine e disordine sia rispettato e il mondo non si fermi.

suocera, madre del marito o della moglie
grato, riconoscente
incubo, sogno brutto e agitato
scossa, danno, difficoltà
suicidarsi, togliersi la vita
equilibrio, lo stabilirsi pari fra due cose

La mia *nonna materna*, per esempio, la signora Lia, non era cattiva. Aveva cercato di mettere ordine a tutti i costi nella propria vita, senza riuscirci e facendo danni peggiori. Perché non era affatto vedova e mamma non portava lo stesso cognome della signora Lia 5
perché suo padre era un cugino. Sin da piccola mamma aveva saputo tutto, ma con la gente la signora Lia si *ostinava* con questa cosa del cugino dallo stesso cognome e allora ogni volta in cui si dovevano presentare i *documenti* c'era il terrore che chi li avesse 10
letti parlasse e bisognava frequentare poche persone e fare regali alle maestre, o ai medici, o a chiunque sapesse la verità, perché non parlasse.

E quando qualcuno raccontava di una *ragazza madre*, considerandola una *puttana*, anche la signo- 15
ra Lia si esprimeva con la stessa parola e, tornate a casa, mamma andava a piangere in camera sua.

Ma poi mamma ebbe la musica del suo flauto, e mio padre, e non gliene importò più niente di niente. Appena si mise con papà cambiò famiglia, per- 20
ché quella sì che era una vera famiglia e nonno per lei era il padre che non aveva mai avuto. Quando papà non c'era, e papà non c'era mai, era nonno che l'accompagnava ovunque con la macchina e se lei tardava e faceva buio stava vestito, seduto in pol- 25
trona, pronto a intervenire se fosse necessario.

nonna materna, madre della madre
ostinare, insistere
documento, carta ufficiale
ragazza madre, donna non sposata che ha un figlio
puttana, prostituta

Certo nonna Lia non se n'era andata perché Gavoi era un brutto paese e non aveva litigato con la famiglia.

Era scappata. A diciott'anni. Incinta di un *servo pastore* che aveva lavorato nella sua famiglia e che nei primi anni Cinquanta era emigrato nel Continente ma era tornato in Sardegna.

L'anno della fuga della signora Lia era quello della *maturità*, liceo classico a Nuoro, e a scuola era bravissima. A Cagliari aveva trovato un posto come *domestica* e portava mamma neonata dalle suore. Quando la figlia era cresciuta un po' si era messa a studiare per finire quell'anno interrotto e prendersi il *diploma*. Studiava di notte, dopo che tornava dal lavoro e mamma dormiva. Aveva smesso di andare

servo pastore, uomo che bada alle pecore di altri
maturità, esame finale del liceo
domestica, donna al servizio di altri
diploma, documento di esame

a servizio e faceva l'impiegata e aveva perfino comprato una casa, brutta, ma pulita, ordinata e di cui era padrona, E mai che si lamentasse di quella sua vita dopo quell'unica *scintilla*, che alla figlia aveva raccontato tante volte, perché sin da bambina voleva sapere di suo padre e anziché una *favola* lei le diceva la storia di quella mattina in cui aveva perso la corriera per Nuoro e a quell'ora partiva da Gavoi anche il padre, per andare in campagna, e l'aveva trovata lì, alla fermata, in lacrime perché era una brava ragazzina. Era un uomo di una bellezza intensa e particolare, buono e onesto e intelligente, ma purtroppo già sposato.

"Buongiorno, donna Lia".

"Buongiorno!"

E sembrava che la felicità fosse possibile. Da allora donna Lia la corriera l'aveva persa molto spesso. Era scappata senza dirgli che era incinta, perché non voleva rovinare il suo mondo.

A quelli di casa aveva lasciato una lettera in cui diceva di non preoccuparsi, di perdonarla, ma lei aveva bisogno di un altro posto, il più lontano possibile, non ne poteva più di Gavoi e della Sardegna. I primi tempi telefonò quasi ogni giorno e non diceva dov'era. La sorella maggiore, che le aveva fatto da madre perché quella vera era morta alla sua nascita, piangeva e le diceva che il padre ormai si vergognava di uscire per strada e i fratelli minacciavano di andarla a cercare in capo al mondo e di ammazzarla. Non telefonò più. Chiuse per sempre con

scintilla, piccolo fuoco
favola, storia non vera

l'amore, i sogni, e dopo il diploma, visto che non doveva più studiare, soprattutto con la letteratura e qualunque espressione artistica e quando mamma volle suonare il flauto accettò la cosa solo a patto che restasse un *diversivo*, per *distrarsi* un poco dalle cose davvero importanti.

Dopo la morte della signora Lia, mamma si *intestardì* a voler cercare suo padre. La madre non aveva mai voluto dirle come si chiamava ma organizzando un piano lo si poteva scoprire. Papà glielo disse che non era una buona idea. Invece lei era testarda e così partirono alla ricerca del mio nonno materno, un mattino presto d'estate, per evitare il gran caldo.

Si erano preparati e dovevano dire di essere dei *ricercatori* che facevano degli studi e raccoglievano *testimonianze* sulla prima ondata *migratoria* dalla Sardegna e mamma aveva il quaderno e il *registratore*. Entrarono in un bar, in una *farmacia*, in una tabaccheria a chiedere delle famiglie dei *don*, quelle che avevano avuto servi pastori e la più ricca era stata, ed era ancora, proprio quella della nonna Lia. Nella grande casa ora abitavano la sorella maggiore con la figlia e il genero e i nipotini e c'era posto per tutti. Mamma si

diversivo, divertimento
distrarsi, divertirsi, pensare ad altro
intestardire, decidere con forza di fare qualcosa
ricercatore, chi studia, fa ricerca
testimonianza, prova
migratorio, relativo all'emigrazione e agli emigranti
registratore, apparecchio per registrare voci e musica
farmacia, posto dove si vendono medicine
don, modo di chiamare un uomo ricco e importante

era seduta sul gradino di una casa di fronte e non smetteva di guardare. Era uno dei più bei palazzi del paese. Mamma continuava a fissare la casa e non poteva immaginare sua madre, povera com'era sempre stata, lì dentro in quell'*ambiente* ricco. 5

La mia prozia era stata avvisata dal farmacista. Andò ad aprire forse una domestica seguita da due bambini e disse di seguirla di sopra, dove la signora li aspettava. La sala dove la zia li aspettava era luminosa. "Sono i figli di mia figlia", disse, "me li lasciano quando vanno a lavorare". 10

Mamma aveva perso l'uso della parola. Papà disse che lavorava con la sua lì presente collega dell'Istituto di Storia di Cagliari, che stava facendo una *tesi di laurea* sulla prima ondata migratoria, quella 15 degli anni Cinquanta, dalla Sardegna. Poteva essere così gentile, dato che la sua famiglia sicuramente aveva avuto a servizio servi pastori, da indicargli qualcuno di loro che se ne fosse andato in Continente in quel periodo e raccontargli la sua storia? 20

La mia prozia era una bella signora, elegante.

"Uno dei nostri era andato a lavorare a Milano nel 1951, un bravo ragazzo, che stava da noi fin da bambino. Gli altri sono partiti dopo, negli anni Sessanta. Era tornato, però, aveva comprato una terra, 25 delle *pecore*.

"E adesso dov'è?" intervenne per la prima volta mamma.

"Poveretto," rispose la mia prozia, "si è buttato in

ambiente, posto, condizione
tesi di laurea, compito scritto alla fine degli studi all'Università
pecora, vedi illustrazione, pag. 64

un pozzo. Aveva una moglie continentale, senza bambini, che non lo ha neanche pianto e dopo la disgrazia è tornata al Nord".

"Ma quando?" Le chiese papà con un filo di voce.

"Nel 1954. Lo ricordo bene perché era l'anno in cui è morta mia sorella Lia, la piccolina di casa".

E gli indicò una fotografia di una ragazzina dall'aria romantica.

"La nostra poetessa," aggiunse.

E a memoria recitò dei versi.

Una poesia d'amore conservata nel cassetto, chissà a chi pensava, povera bambina.

Mamma non disse una parola sino a Cagliari e alla fine papà glielo domandò: "Pensi che si sia ammazzato per tua madre? Non è incredibile che da ragazza scrivesse poesie?"

Mamma alzò le spalle come per dire: "Che mi importa," o "Come faccio a saperlo?".

19.

Oggi sono venuta qui in via Manno a fare le pulizie, perché appena finiscono i lavori mi sposo. Il nostro appartamento sono dieci anni che è vuoto, non l'abbiamo venduto, né *affittato*, per amore e perché a noi di tutte le altre cose non ci importa niente. Però non è che sia stato proprio vuoto. Anzi.

Mio padre quando torna a Cagliari viene qui a

affittare, dare in affitto una casa a qualcuno dietro pagamento ogni mese

suonare il suo vecchio pianoforte, quello delle signorine Doloretta e Fannì.

Lo faceva anche prima che nonna morisse, perché mamma si deve esercitare al flauto e quindi a casa loro è necessario mettersi d'accordo sugli orari. 5
Papà si prendeva i suoi spartiti e veniva qui e nonna si metteva a cucinare tutte le cose che gli piacevano ma poi, all'ora di mangiare, bussavamo alla porta e sentivamo rispondere: "Grazie, dopo, dopo. Voi iniziate". Ma io non ricordo che poi venisse. Quando 10
la fame si faceva sentire, allora andava in cucina, dove nonna era abituata a lasciargli il piatto coperto. Mangiava da solo. Il bello era essere sempre in pieno concerto e non è da tutti mangiare, dormire, andare in bagno, fare i compiti con un grande piani- 15
sta che suona Debussy, Ravel, Mozart, Beethoven, Bach e gli altri. E anche se con nonna eravamo più comode quando papà non veniva, era bellissimo quando c'era e io da piccola, ogni volta, in onore della sua presenza, scrivevo qualcosa, una poesia, 20
una favola.

Questa casa non è rimasta vuota anche perché veniamo qui con il mio ragazzo e penso sempre che abbia ancora l'energia di nonna e penso che se facciamo l'amore in un letto di via Manno, poi ci ame- 25
remo per sempre.

E anziché fare le pulizie, leggere le notizie sulla situazione in Iraq, ho scritto, sul quaderno che mi porto sempre appresso, di nonna, del Reduce, di nonno, dei miei genitori, delle vicine di via Sulis, 30
delle mie prozie paterne e materne, della nonna Lia,

delle signorine Doloretta e Fannì, della musica, di Cagliari.

Adesso che mi sposo il terrazzo è di nuovo un giardino, come ai tempi di nonna.

5 È così che ho trovato il famoso quaderno nero e una lettera del Reduce. Non li ho trovati. Me li ha dati un operaio. Una parte delle decorazioni del salotto è andata via. Nonna ha *scavato* in quel punto e nascosto il suo quaderno e la lettera del Reduce e poi 10 ci ha ridipinto sopra, ma il suo lavoro non è stato perfetto e le decorazioni si sono rovinate.

20.

"Gentile signora," dice la lettera del Reduce, "sono *lusingato* e forse leggermente in *imbarazzo* per tutto ciò che ha immaginato e scritto di me. Lei mi chiede 15 di *valutare* il suo racconto dal punto di vista letterario e si scusa per le scene d'amore che ha inventato, ma soprattutto per ciò che di vero ha scritto della mia vita. Dice che le sembra di avermi rubato qualcosa. No, mia cara amica, scrivere di qualcuno 20 come lei ha fatto è un regalo. Per me non deve preoccuparsi di nulla, l'amore che ha inventato fra noi mi ha commosso e leggendo, ho quasi *rimpianto* che quell'amore non ci sia stato davvero. Ma ab-

scavare, fare un buco nel muro o in terra
lusingato, onorato
imbarazzo, stato di disagio, di confusione
valutare, esprimere un giudizio
rimpiangere, essere dispiaciuti

biamo parlato tanto. Ci siamo fatti compagnia, certe risate, anche, tristi com'eravamo, là alle Terme, non è vero? Lei con quei bambini che non volevano nascere, io e la mia guerra, le stampelle. Tante pietre dentro. Mi dice di essere rimasta nuovamente incinta appena rientrata dalle cure termali, di avere nuovamente speranza. Glielo auguro con tutto il cuore e mi piace credere di averla aiutata a buttar fuori le pietre e che la nostra amicizia abbia *contribuito* in qualche modo a farle ritrovare la salute e la possibilità di avere figli. Anche lei mi è stata d'aiuto, i rapporti con mia moglie e la bambina sono migliorati, sto riuscendo a dimenticare. Ma c'è dell'altro. E immagino che riderà leggendo quello che sto per dirle: non sono più così come qualche mese fa alle Terme. Lei mi ha inventato con quella bella *camicia* bianca e quelle scarpe e mi sono piaciuto. Un tempo ero davvero così.

"Ma torniamo al suo racconto. Non smetta di immaginare. Non è matta. Mai più creda a chi le dice questa cosa ingiusta. Scriva".

camicia

contribuire, aiutare, favorire

Domande:

1. Dove si svolge il racconto ?
2. Come si chiama la capitale della Sardegna ?
3. Come si chiamano gli abitanti della Sardegna ?
4. Chi è la protagonista del racconto ?
5. Chi è il Reduce?
6. Perché la nonna è considerata "matta" ?
7. Qual'è la passione del figlio della nonna ?
8. Dove sono emigrati i parenti della nonna ?
9. Perché i parenti sono emigrati ?
10. Come sono trattati i sardi emigrati a Milano e come li chiamano i milanesi ?
11. Di che cosa si pente la nonna ?
12. Come viene descritta la città di Milano ?
13. Quale rapporto ha la nipote con la nonna materna ?
14. Come si chiama la nonna materna ?

15. Che cosa ha fatto la nonna materna quando era giovane ?

16. Che cosa avevano intenzione di fare i genitori con la nonna ?

17. Come si immaginano la vita dei parenti a Milano ?

18. Come è il palazzo dei parenti a Milano ?

19. Che cosa accade alla nonna sulla scala mobile ?

20. Che cosa trova la nipote alla fine del racconto ?

21. Che mestiere fa la sorella della nonna a Milano ?

22. Chi spera di vedere a Milano la nonna ?

23. Come chiamano i sardi l'Italia ?

24. Dove si incontrano la nonna e il Reduce ?

25. Di quale malattia soffrono il Reduce e la nonna ?

Attività:

1. Trova i monumenti di Milano che sono nominati nel testo e che la nonna, il nonno e il loro figlio visitano durante la visita a Milano insieme ai parenti, e spiega cosa sono.

2. Chi è Dante? Quando è vissuto e quale è la sua opera più famosa?

3. Trova gli errori di scrittura nel testo sotto riportato; dopo aver trovato gli errori, controlla al cap. 11, pag. 38:

Si vestirono tuti e tre di nuovo per non *sfigurare*. Nona si comprò le creme di Elisabeth Arden, perché ormai era sulla cinqantina e voleva che il Reduce, il cuore le diceva che si sarebbero incontrati, la trovasse ancora bella. Ma non è che fosse molto preocupata per questo. Tutti erano convinti che un uomo di cinquant'anni non guarderebbe mai una *coetanea*, però questi erano raggionamenti per le cose del mondo. L'amore no. L'amore non *bada* né all'età né a nient'altro che non sia l'amore. E il Reduce era proprio di quell'amore che l'aveva amata. Chissà se l'avrebbe riconosciuta subito. Che faccia avrebbe fatto. Non si sarebbero abracciati alla presenza di nonno, di papa, o della moglie, o della figlia del Reduce. Si sarebbero stretti la mano e guardati, guardati, guardati. Da morire. Invece se lei avesse cercato di ucire da sola e da solo lo avesse incontrato, allora sì. E si sarebero baciati e stretti per *recuperare* tutti quegli anni. E se lui glielo avese chiesto, lei non sarebbe tornata a casa mai più. Perché l'amore è più importante di tutte le altre cose.

Nonna non era mai stata in Continente, se non nel paesino delle Terme, e nonnostante quello che le aveva scritto la sorella pensava che a Milano ci si incontrasse facilmente come a Cagliari ed era emozionatisima perché credeva di vedere subito per strada il suo Reduce.

4. Inserisci la parola giusta nella frase giusta senza prima confrontare il testo del libro; dopo puoi controllare il testo (cap. 11, pag. 48):

soldi - ucciso – ragione – vino - retto – distrutto - vergognavano - sospettato - in – salsicce – industrie - proprietari – alle – peggiore – rispettati - sorpresa.

Mio padre sentì che nonno telefonava ... zie e diceva che lei, a Milano, non aveva retto vedendo la sua sorella più giovane ridotta così, perché qui ... Sardegna i piccoli ... terrieri erano modesti ma ... da tutti e invece avevano dovuto emigrare, le donne a fare le *serve*, che per un marito è l'umiliazione ...; gli uomini a respirare i *veleni* delle ..., senza *tutela* e soprattutto senza nessun rispetto e i figli si vergognavano, a scuola, dei loro cognomi sardi con tutte quelle u. Lui questo non lo aveva ..., scrivevano che stavano bene e loro avevano pensato a fargli una ... andando a trovarli e invece li avevano soltanto fatti vergognare. I ragazzini si erano buttati sulle ... e il prosciutto come se non mangiassero da chissà quanto, suo cognato quando aveva tagliato il formaggio e aperto la bottiglia di ... gli aveva detto che su quelle terre a loro era sembrato che non ci si potesse vivere e invece avevano avuto ... quelli che erano rimasti. A questo nonna, fatta a modo suo come le sorelle ben sapevano, non aveva ... e poi aveva anche saputo che oggi era stato ... il presidente Kennedy e aveva ... uno stipendio di bucato. A lui non importava, che i ... vanno e vengono, ma non c`era verso di calmarla. Che venissero a Cagliari, per favore, subito, con la prima *corriera*.

5. Trova gli errori di grammatica nel seguente testo e spiega perché sono errori. Confronta poi il testo corretto nel libro per controllare se hai trovato tutti gli errori (cap. 17, pag. 60):

Quel maggio 1943 il loro cognato, sfollata, senza casa e fresco del dolore del moglie, ne vide di tutti i colori e non c'erano stato bisogno di spiegargli niente perché per nonna il primavera era la stagione peggiore. Nelle altre stagione era più tranquillo. I primi giorni del sfollamento, nonno, a cena, di fronte alla minestra, raccontò della casa di via Manno, delle bombe e della morte dei loro che erano tutti riuniti, il 13 maggio, per il suo compleanno, e la moglie gli aveva promessa una torta e lui stava per arrivare quando era suonato l'allarme e allora aveva pensato di trovarlo al rifugio dei Giardini Pubblici e invece al rifugio, dei suoi, non c'era nessuno. Nonna si era alzato di notte e aveva fatto *scempio* dei suoi ricami strappandole, dei suoi dipinti a metà muro. Il giorno dopo il loro futuro cognato aveva cercato di parlarle e siccome lei si era chiusa nella stalla, la parlava dal cortile, attraverso la porta di legno e le diceva che così è la vita, che ci sono delle cose orribile ma anche bellissimi, come per esempio le sue *decorazioni* e i ricami che lei aveva fatto, perché le aveva distrutti? Nonna, da lì dentro, stranamente gli aveva risposto: "Le mie cose sembra belle, ma non è vero. Sono brutte, invece.

Dovevo morire io. Non vostro moglie. Vostra moglie aveva la cosa principale che rendono tutto bello. Io no. Io sono brutto. Dovevo morire io".

6. Qual' è la forma dell'infinito dei seguenti verbi:

    fosse:
    rispose:
    corsero:
    sarebbe:
    stravolto:
    chiesto:
    propose:
    misero:

7. Inserisci nel testo la forma giusta di tempo (presente, imperfetto, passato, ecc,) dei verbi lasciati con la forma del tempo espressa all'infinito. Dopo puoi controllare nel testo al cap. 11, pag. 38:

Nonna non essere mai stata in Continente, se non nel paesino delle Terme, e nonostante quello che le aveva scrivere la sorella pensava che a Milano ci si incontrasse facilmente come a Cagliari ed essere emozionatissima perché credere di vedere subito per strada il suo Reduce. Però Milano era grandissima, altissima, coi palazzi grandi, bellissima, grigia, *nebbiosa*, tanto traffico, il cielo a pezzetti fra gli alberi, tante luci di negozi, *semafori, tram,* la gente con le facce dentro un'aria di pioggia. Appena scesa dal treno, alla stazione Centrale, stette attenta a tutti gli uomini per vedere se c'era il suo, alto, magro, il viso dolce e le stampelle e ce n'essere tanti, uomini, che salire e scendevano da quei treni che andavano dappertutto, Parigi, Vienna, Roma, Napoli, Venezia, ed era impressionante come il mondo era grande e ricco, ma lui non c'era.

8. Se siete in più persone, potete fare un dettato, leggendo dal libro un brano dêl testo.

Potete trovare altri esercizi su
www.easyreaders.eu